"Nunca fui muito segura da minha aparência e da minha capacidade de sociabilizar.

Sempre fiquei meio no canto... com medo de entrar em uma conversa, com medo de as pessoas finalmente perceberem que de alguma forma não era para eu estar lá... sempre me senti um peixe fora d'água...

Acho que com o tempo, com a maturidade e, principalmente, com a minha trajetória profissional, fui desenvolvendo uma coragem maior de me jogar nas coisas... quanto mais conteúdo eu absorvia, mais bonita me sentia...

Quanto mais via os meus projetos fluindo, mais poderosa eu me sentia...

Às vezes ainda bate aquele sentimento de adolescente rejeitada e me dá um frio na espinha...

Não controlo minhas emoções o tempo todo, acho que nunca vou controlar... mas o que eu faço com esses sentimentos que algumas vezes 'me perseguem' é a grande diferença.

Cada vez mais dou menos importância para coisas, preocupações e pessoas bobas... me sinto mais livre do que nunca e me amo cada vez mais.

SOPHIA ABRAHÃO, ATRIZ E APRESENTADORA"

"Eu me sinto sortuda; sempre tive amor-próprio. Fui incentivada pela minha família e pelas pessoas com que me relacionei. Cuidamos do nosso corpo, da nossa saúde, gostamos de ficar bonitas, claro! Mas o cuidado com a parte de dentro é o que importa. Pode parecer clichê, mas a minha autoestima sempre foi baseada na minha realização pessoal, no meu trabalho e na relação que construo com as pessoas. No fundo, o que importa mesmo é o interior, porque isso não passa. Quando brilhamos por dentro, nos sentimos muito mais felizes e completas. Sempre achei as pessoas confiantes e com amor-próprio muito mais atraentes do que as que têm beleza física por si só. Ser somente bonito não funciona.

CAMILA COUTINHO, INFLUENCER"

"Quem me ensinou o que era amor-próprio foi meu marido. Eu tive um relacionamento antes do meu casamento que durou cinco anos. Foram cinco anos fazendo minha vida girar em volta de um homem. Eu não podia usar calças porque se eu as usasse estaria atrapalhando o crescimento dele na igreja, não podia estudar porque ele não estudava e eu não podia estar à frente dele em nada. Como mulher, eu tinha que me sujeitar ao homem porque o homem é a cabeça e a mulher é a costela. Mulher serve para estar ao lado, nunca à frente, nunca por cima. Eu tinha 15 anos quando começamos a namorar e ele, 17. Depois de diversas traições dele, ele resolveu terminar o namoro por telefone, dizendo que eu não era mulher suficiente para ele. Aos 20 anos eu acreditava nisso. Eu não era mulher suficiente para ninguém. Aos 21, conheci meu atual marido e o tratava como o rei, o dono de mim. Meu marido não aceitava isso. Dizia, e diz até hoje, que a esposa dele tem que ser grande pelo menos pra ela mesma. Ele me mostrou que não se vive de servidão o tempo todo, agradar os outros o tempo todo e esquecer de si mesma é a morte. Ele sempre me apoiou em tudo e diz que só chegou aonde chegou porque eu estava com ele. Meu marido me ensinou que você só pode amar os outros se souber o que é amor e que só aprendemos o que é amor amando a nós mesmas. Nos aceitando como somos e tentando ser melhores para nós, e não para os outros. Deu pra entender por que eu me casei com ele, né? Hoje eu posso dizer que amo meu marido e amo nossos filhos (meu filho e meu enteado) porque aprendi a me amar."

THATHA DE ABREU, PROFESSORA DE QUÍMICA

"Quando eu perdi a minha mãe, uma parte importante de mim se foi. Perdi meu amor-próprio e, arriscaria dizer, minha 'vida'. Foi uma época bastante difícil para mim. Parecia que a ida da minha mãe havia tirado um pedaço do meu orgulho próprio, sobrou um restinho dele, mas eu não o enxergava. Com isso, passei a não ter vontade de fazer nada. Na época, ficar na cama era o que definia a minha vida.

Quando me descobri grávida, tudo mudou. Foi aí que resolvi ser uma pessoa de quem meu filho se orgulhasse, assim como eu me orgulhava da minha mãe. Comecei a querer ser uma pessoa melhor para o Antonio e, consequentemente, para mim mesma, porque filho é uma parte nossa. A minha vida se transformou. Dei um sentido para tudo. Mudei muitas coisas ao mesmo tempo. Da minha saúde ao meu trabalho, fui atrás dos meus sonhos, entendi que eu era uma pessoa digna de cuidados. O Antonio foi o melhor presente do mundo. Com o nascimento dele, aquilo que eu havia perdido renasceu. Entendi que, para ser uma pessoa digna do orgulho dele, precisava me amar e cuidar de mim. Esse processo foi natural, mas, quando olho para trás, vejo claramente que passei a pensar em mim a partir do momento que entendi que meu papel no mundo mudaria. Hoje me acho uma profissional competente, uma mãe mais competente ainda e me orgulho de quem sou."

LUCIANA TRANCHESI, INFLUENCER

"Descobri meu amor-próprio com a minha separação! Tive um relacionamento de quase dez anos, fiquei casada um ano e quatro dias. Com quatro meses de casada, comecei a viver uma angústia terrível porque percebi que tinha escolhido me casar por conceitos alheios (fora as questões de autoestima e passar a enxergar a realidade, o que também pesou) – porque vivia um relacionamento 'perfeito'.

Ainda casada, comecei a fazer análise pra entender tudo o que estava acontecendo... foi muito doloroso e difícil, mas libertador! Entendi o quanto valorizar e conhecer as nossas verdadeiras vontades é crucial para o amor-próprio!

Hoje vivo um estereótipo que nunca imaginei (31 anos, divorciada, 7 quilos a mais – resultado da minha ansiedade no período... rs). Mas me sinto mais amada e mais mulher do que nunca!"

PAULA SAQUY, EMPRESÁRIA

"Sou a terceira filha mulher de um casal que em 2017 completa 50 anos juntos. Cresci vendo minhas irmãs se arrumarem, irem a festas, sempre muito cheias de si. Nunca presenciei nenhuma delas chorando pelos cantos ou sofrendo por pés na bunda. Eu amo os textos da minha amiga querida Mica, dou risada e lembro de amigas que passaram por situações parecidas. Mas, acreditem se quiser, nunca sofri por amor! Fui criada por pais que me ensinaram a ter MUITA autoestima, o que é até perigoso, porque beira a autossuficiência. Em uma casa com tantas mulheres, nunca ouvi um questionamento sobre roupa curta ou alguém dizer que sexo era proibido. Sempre fomos estimuladas aos prazeres da vida. E que não há prazer maior do que estar bem com nós mesmas, nosso corpo, nossa história. A realidade e a visão dos fatos são sempre relativas, o nosso termômetro é o amor-próprio. Se o outro não é capaz de enxergar o melhor de nós, a falta está nele, e a relação que ele propõe não serve. E não falo só de relação amorosa, mas profissional e familiar. Hoje sou mãe e entendo mais ainda a importância de criar um filho com boa autoestima. Espero que meu filho possa repetir o que eu digo e sinto sobre se amar."

RAFA BRITES, APRESENTADORA

"O que me ajudou MUITO a melhorar minha autoestima foi um curso de fotografia que fiz no ano passado. O curso era sobre corpo e sobre o nu. Logo na primeira aula, o professor decretou que, se quiséssemos estar confortáveis com o nu alheio, antes de tudo teríamos que estar confortáveis com o nosso. Fiquei em completo pânico. Sempre fui gordinha e, como fotógrafa, sempre busquei a beleza do outro lado da lente, e me sentia feliz encontrando e mostrando para os outros o que eu não via muito em mim. Para o primeiro trabalho, tive que me fotografar nua, no banheiro de casa, tratar as imagens, mandar imprimir e... pior pesadelo de todos... mostrar para o professor e os meus colegas de classe. Passei noites sem dormir e dias fotografando sem parar. Quando parei pra ver o resultado, surpresa: me amei em todas as imagens. Amei cada curva, cada pedaço, cada defeito. Me olhei com amor e doçura, provavelmente pela primeira vez. E como foi bom! Ao seguir o curso, tivemos mais alguns exercícios assim, e cada vez me animei mais. Já chegava em casa, pegava a câmera e tirava a roupa. Me fez muito bem!"

KAREN CAETANO, FOTÓGRAFA

"Comecei a trabalhar muito cedo, aos 13 anos, com a minha mãe, e abri a Lolitta, marca que criei sozinha e mais madura, há dez anos. Sem dúvida alguma meu trabalho foi um impulsionador importantíssimo e essencial para descobrir o que era autorrealização, minha capacidade de gerar algo por conta própria, e onde encontrei a união de dedicação e amor. Foi nele que consegui achar a satisfação da realização pessoal, de algo que depende (principalmente) de mim, e, assim, gerar uma independência não apenas financeira (que é uma delícia), mas também de outros aspectos essenciais para ser feliz.

Sem dúvida alguma, toda essa independência de trabalhar, criar algo, gerar resultados, reconhecimento, resgata minha segurança em mim, meu AMOR-PRÓPRIO. Mas aprendi que, da mesma forma como encontramos essa liberdade, temos que tomar cuidado para não sermos aprisionados por ela. Meu trabalho hoje, com certeza, me impulsiona a acessar essa independência e esse amor-próprio. Mas constantemente me esforço para que ele não seja um fator gerador de dependências – de sucesso, de reconhecimento e de resultados – para me sentir feliz e capaz!

Sou extremamente satisfeita e feliz no que me dedico. Amo desafios e estar constantemente aprendendo e crescendo. Tudo isso, sem dúvida, é o maior presente que tive para me ajudar a me encontrar e poder ser dona de mim mesma, da minha autorrealização e do meu amor-próprio."

LOLITA HANNUD, ESTILISTA E DONA DA MARCA LOLITTA

"Quando vi e li (eita, internet!) que era gorda, o patinho feio, percebi que… e daí? Olhando só para o corpo, posso não me sentir tudo aquilo. Mas o que eu tenho a oferecer é muito mais do que isso! Se não tenho o corpo 'ideal', tenho caráter, alegria e mil qualidades muito maiores do que apenas um corpo. Posso conquistar o corpo considerado ideal pela sociedade, mas não preciso dele e tenho coisas que só eu posso ter. Sou uma pessoa que só eu posso ser. E sei quão incrível eu posso ser!"

MARCELLA TRANCHESI, INFLUENCER

"AMARternidade!

Faço terapia há anos. Estou sempre em busca de me autorreconhecer como mulher, como filha, como mãe, como amiga...

Amor-próprio é fundamental para você estar alinhada com sua energia.

Venho descobrindo meu próprio-amor desde que engravidei do meu filho, o Valentim.

Meu propósito de vida sempre foi ser o amor na vida das pessoas, mas acabava não nutrindo esse sentimento por mim mesma.

Quando engravidei, percebi que tinha que cuidar de mim para poder alimentar o outro, no caso, o meu filho. Percebi que todas as minhas atitudes se refletiam no crescimento e desenvolvimento de uma nova vida.

Fui obrigada a mudar. Fui obrigada a me valorizar e a aprender a dizer 'não', a ir apenas aonde eu queria, a não ser mais política em todas as situações e a me colocar em primeiro lugar.

Me tornei minha maior guardiã. Amo tudo o que faço e tudo o que sou. Não mudaria nada em mim.

A maternidade me fez encontrar uma Roberta ainda adormecida, mas que tem muita personalidade e é bem geniosa. Essa Roberta me dá muito orgulho e serenidade. Ela ainda não é 100% desenvolvida, afinal de contas, foram quase 30 anos com pouquíssimo amor-próprio.

Mas tenho certeza de que a força que tenho hoje se deve ao descobrimento desse amor-próprio e desse cuidado comigo mesma e ao respeito às minhas vontades!

Trabalharei incansavelmente pelos próximos 30, 60, 90 anos... Pois o amor preencheu o meu próprio coração e permitiu que a minha alma ficasse ainda mais leve!"

ROBERTA WHATELY, EMPRESÁRIA

"Não vou falar do meu amor-próprio propriamente dito, vou falar de um amor-próprio que mudou a minha vida.

Sou casada com um tetraplégico. Quando o conheci, ele já tinha se acidentado havia nove anos... e o que me fez querer conhecê-lo foi a leveza com que o via levar a vida, com um sorriso fácil e uma percepção de realidade muito especial.

Eu tinha 20 anos quando vi o André pela primeira vez, e foi a curiosidade que fez com que eu me aproximasse dele. Eu não acreditava que alguém 100% dependente (cheio de dificuldades) podia ser plenamente feliz ou mesmo achar sua vida boa (de verdade), mas eu estava errada... redondamente enganada...

Diferentemente do que a maioria das pessoas pensa, amar o André sempre foi muito fácil, simplesmente porque ele se permite ser amado, não se vitimiza, não se sente incapaz, não se sente injustiçado... Ele apenas vive um dia de cada vez e se sente muito grato por ser quem é, mesmo com todas as suas limitações e dependências. Ele é o ser humano mais livre e feliz que eu conheço. E foi por esse amor-próprio que eu me apaixonei... amá-lo me faz melhor, muda minha perspectiva de vida todos os dias e transforma o meu amor-próprio.

Completamos dez anos de casados no dia 7 de julho de 2017."

DANIELLE ROCHA, MÉDICA

"Eu não o conheci em um bar, em uma balada ou em um encontro com as minhas amigas. Eu o conheci em um dia de solidão. Nos esbarramos na frente do espelho. E foi aí que entendi todas aquelas teorias e frases feitas que sempre lia e ouvia falar. Foi quando o 'antes só do que mal acompanhada' fez mais sentido. Foi quando o 'como quer que alguém te ame, se você mesma não se ama?' se fez. Dentro de mim.

Ele está sempre presente, mesmo quando é um bad hair day, ou o espelho não está sendo seu bff, ou o seu look do dia é um moletom surrado e uma camiseta furada. Mas o mais importante, posso garantir, é que, quando vocês se encontram, de verdade, não se perdem mais. Ele criou raiz. Ele, o Amor-Próprio."

PRISCILA ROCHA, ARQUITETA

#Manual do amor-próprio

Mica Rocha

#Manual do amor-próprio

PORQUE O GRANDE AMOR DA SUA VIDA É VOCÊ

Benvirá

Preparação Luiza Thebas
Revisão Laila Guilherme e Tulio Kawata
Projeto gráfico e Diagramação Caio Cardoso
Capa Deborah Mattos
Impressão e acabamento A.R. Fernandez

Dados Internacionais de Catalogação na Publicação (CIP)
Angélica Ilacqua CRB-8/7057

Rocha, Mica
Manual do amor-próprio : porque o grande amor da sua vida é você /
Mica Rocha. – São Paulo: Benvirá, 2017.
184p.

ISBN 978-85-5717-178-7

1. Técnica de autoajuda 2. Autoestima 3. Felicidade. 4. Sucesso
I. Título

CDD-158.1

17-1391 CDU-159.9

Índices para catálogo sistemático:
1. Técnicas de autoajuda

1ª edição, outubro de 2017 | 11ª tiragem, junho de 2023

Todos os direitos reservados à Benvirá, um selo da Saraiva Educação.
Av. Paulista, 901, 4º andar
Bela Vista - São Paulo - SP - CEP: 01311-100

SAC: sac.sets@saraivaeducacao.com.br

CÓDIGO DA OBRA 16153 CL 670591 CAE 623547

O NOSSO CAMINHO.

É ÚNICO.

SÓ NÓS SABEMOS PARA ONDE IR.

BASTA ESCUTAR A PRÓPRIA VOZ.

DESLIGAR O BARULHO DA MULTIDÃO.

CONFIAR EM SI MESMA.

E TER CORAGEM.

DE SER FELIZ.

MAIS AMOR (PRÓPRIO), POR FAVOR!

Sumário

AMOR–PRÓPRIO

(A.MOR–PRÓ.PRI:O)

SM.

1. CONSCIÊNCIA DO PRÓPRIO VALOR, DA PRÓPRIA DIGNIDADE; **AUTOESTIMA; BRIO**

2. ORGULHO DE SI MESMO; **VAIDADE**

(Dicionário Caldas Aulete)

Por que um livro sobre amor-próprio?

Você provavelmente já ficou obcecada por seus defeitos ou escutou alguma crítica que não conseguiu tirar da cabeça; talvez já tenha entrado em um relacionamento tóxico ou se cansado de ser você mesma. Chorou pelo fim de relacionamentos que já eram falidos antes mesmo de começarem, abriu mão dos bons e promissores porque eram "fáceis" demais, não tinham o fator paixão louca, se sentiu inferior a seus colegas de trabalho, deixou de escolher a carreira dos sonhos por falta de confiança em si mesma e sempre achou que o outro era melhor que você.

Por que isso acontece? Por que a grama do vizinho é sempre mais verde do que a nossa? Por que brigamos tanto com o espelho? Por que não nos achamos bonitas "o suficiente"? Por que não ganhamos tanto quanto determinada pessoa? Por que nos sentimos tristes sem motivo? Por que não conseguimos largar o trabalho com que não nos identificamos mais? E as amizades que nos fazem mal? Por que insistimos em viver uma vida que não nos satisfaz? Por que nenhum relacionamento afetivo tem o esperado final feliz? Por que a vida do outro parece tão mais fácil do que a minha? Como eu cheguei até aqui?

Tudo isso está diretamente ligado à nossa autopercepção, ao jeito como nos enxergamos no mundo, ou como, muitas vezes, não nos enxergamos. À falta de confiança, à insistência em repetir padrões autodestrutivos e à falsa ideia de que nunca seremos felizes. Se sentir assim não é o fim do mundo – sério –, afinal, quando percebemos que precisamos mudar algo que está fora do lugar, é sinal de que estamos olhando para nós mesmas, e isso já é o começo, já nos tira do ponto morto. Existem meios de chegar a essa paz interior que tanto buscamos. Eu acredito na busca pelo autoconhecimento, na construção da autoestima e no amor-próprio. Para mim, viver sem esses três pilares é escolher viver sem evoluir. E qual sentido tem nisso?

O amor-próprio foi uma descoberta maravilhosa na minha vida, mas foi só quando atingi o fundo do poço do desamor que descobri sua existência. Foi só quando me perdi completamente que pude encontrar o verdadeiro caminho, aquilo que me completaria. Também descobri que o amor-próprio não garante escolhas certas, muito menos imunidade à frustração. Não basta saber qual é o melhor caminho para optar por ele. O autoconhecimento é desidealizar. Ele descortina pontos doloridos e não tão lindos assim. Se conhecer é aceitar que nem tudo será como desejamos e que é preciso muita coragem para ser quem é de verdade.

A minha história não é diferente da de milhares de pessoas pelo mundo. Não me acho merecedora de um prefácio dramático, isso é zero meu estilo, mas sempre acho bom contar a verdade, sem inventar uma vida perfeita e polida. Adoro a minha vida, que fique claro; me sinto bem comigo mesma na maior parte do tempo, mas penei bastante para chegar ao ponto em que estou hoje. Me maltratei muito, fiz escolhas ruins e desandei em grande parte da minha adolescência e começo de vida adulta.

MAS, AFINAL, O QUE ACONTECEU COMIGO?

Fui concebida por acaso. Meus pais queriam o terceiro filho, mas não estavam planejando r aquele momento. Zero trauma com isso; fui um acidente feliz na vida deles e está tudo certo. Sempre me encaixei no estereótipo do filho caçula, sabe? Aquele que adora quebrar regras, ser diferentão. Enquanto minhas irmãs gostavam de escutar MPB e estudar sobre a história do mundo, eu me encantava com desfiles de moda, televisão, cabelos bonitos e rostos milimetricamente maquiados. Adorava usar os saltos da minha mãe e costumava dizer que não via a hora de ter 33 anos. Freud explica?

Logo cedo, meus pais perceberam que eu era diferente das minhas irmãs e que esse "jeito" era meu; eu tinha nascido com aquilo, fazia parte de mim.

Até aí, tudo bem. O problema é que nasci em uma família na qual a moda e a vaidade eram sinônimo de falta de conteúdo. Algum dia um parente determinou que não podíamos nos preocupar com o nosso físico ou com a roupa que vestiríamos porque isso era coisa de gente vazia.

E foi assim que ganhei um rótulo.

A parentada adora colocar etiqueta nas crianças, né? Uma é a gordinha, a outra é a peste, a outra é a superinteligente, a outra é a problemática, e por aí vai. Isso acontece em todos os grupos. Julgar os outros é algo que está dentro de nós. Vamos crescendo e a nossa personalidade ganha uma embalagem. No meu caso, ganhei o rótulo de menina patricinha que adora se vestir bem. Ouvia que era vazia, que não queria nada com a vida.

Os anos se passaram e aquele rótulo me acompanhou.

Também lembro de me cobrar muito, e aqui vamos explorar bastante esse autobullying que praticamos durante a vida.

Além dessa prática diária de desamor, a escola em que estudava era um lugar hostil. Sofri bullying, daqueles que nos fazem sair da escola por não aguentar a pressão, e aprendi a não gostar de quem eu era, afinal de contas: quem era eu? Complexo, eu sei. Além disso, tive relacionamentos que eram um espelho de como me via e me sentia, e aquela enorme insatisfação com a minha aparência sabotava minha segurança.

Foi com bastante esforço e vontade – porque sem essas duas coisas nós não conseguimos superar as dificuldades – que a minha história mudou. Eu descobri o amor-próprio depois de praticar bastante desamor. Entendi o meu valor depois de me desvalorizar muito. Me encontrei depois de ter me perdido por diversas vezes. O episódio do bullying teve um final feliz, afinal, estou aqui usando esse acontecimento como fator transformador em minha vida. Tive apoio emocional, fiz terapia, fui me descobrir e me dei conta de que gostar de mim me fazia bem, muito bem. Esse amor que as pessoas chamam de próprio era o verdadeiro antídoto para aquele veneno diário que colocava na minha cabeça.

Claro que nem tudo são flores, esses episódios com a minha autoestima me fizeram pagar um preço alto em outras escolhas da vida de que eu só me daria conta mais para a frente. Carreguei por muitos anos esse buraco da rejeição e só fui entender quem eu era quando comecei a me amar de verdade.

O amor-próprio traz conforto. É aquela única certeza de que mesmo que o mundo caia, você não deixará de acreditar no amanhã, na mudança e em si mesma. Nós passamos a depender do nosso equilíbrio emocional e espiritual, e não mais do outro, não do próximo, nem do mundo. Não há nada mais libertador do que gostar de ser quem somos, aceitar nossas fraquezas e não nos definir pelos nossos erros, mas pela força e resiliência que temos dentro de nós quando o pior acontece.

Neste livro você vai encontrar depoimentos meus e de pessoas que descobriram a força que o amor-próprio tem; também vou propor alguns exercícios de descobertas e reflexões. Terá também valiosas dicas da psicóloga Blenda Oliveira – também conhecida como minha mãe. Ela, como uma excelente psicoterapeuta, vai fortalecer ainda mais o nosso conteúdo – porque, né?, se é para falar de amor-próprio, precisamos de bastante repertório! Acredito que compartilhar a verdade sempre aproxima as pessoas, elimina aquela sensação de estarmos sozinhas com nossos problemas. Não me coloco como perfeita e não tenho a menor vontade de ser. Mas gostaria que as pessoas descobrissem seu real poder, porque foi isso que me fez sair da angústia de ser eu mesma. Foi o amor-próprio que me descolou da ideia destrutiva de alcançar a perfeição. Aprendi a pegar mais leve comigo e a aproveitar todas as oportunidades que a vida me dá, mesmo que elas não sejam exatamente as que desejei. Esse processo substitui a vitimização por uma incrível força interna e acaba de vez com essa ideia de que dependemos do outro para sermos felizes. Nós somos do tamanho do nosso amor-próprio. Então, siga em frente porque é hora de mudar, de evoluir e de se libertar e se autoconhecer. Bem-vinda!

Com amor,

MICA

INTRODUÇÃO

Esse tal de amor-próprio

Antes de nos aventurarmos pelo mundo do amor-próprio e da autoestima, a gente precisa entender direitinho o que isso quer dizer. Por isso, tenho algumas perguntas para te fazer: "Você é feliz com você mesma?"; "Se sente segura com suas atitudes e sua aparência?"; "Se ama acima de tudo, mesmo sabendo que tem defeitos?"; "Confia no 'seu taco', seja no amor, seja na vida profissional?"; "Sabe que é preciso errar para crescer e não se martiriza quando erra?"; "Se pudesse, mudaria alguma coisa em você?".

Costumo definir a autoestima como uma nota que nos damos. Essa nota representa como nos sentimos em relação ao mundo e a nós mesmas. Pra mim, a boa autoestima é aquela sensação de merecermos a vida que queremos ter. Em outras palavras, é quão felizes nos permitimos ser e quanto nos amamos, independentemente dos nossos defeitos (coisa que todo mundo tem!).

Autoestima tem um pouco a ver com positividade. Temos uma grande capacidade de desenvolver uma mente positiva, mas nem sempre conseguimos. Muitas vezes nos sentimos tristes, culpadas, inferiores e com muitas dúvidas sobre nós mesmas. (A famosa baixa autoestima.)

INTRODUÇÃO

CAP. 1

CAP. 2

CAP. 3

CAP. 4

CAP. 5

CAP. 6

CAP. 7

CONCLUSÃO

"Ouvi muuuuitas vezes ao longo da vida a frase 'você deveria se amar mais', mas realmente não sabia o que fazer para isso acontecer. Achava que isso era possível apenas para mulheres lindas, magras, com cabelo de propaganda de xampu. Achava que era ridículo eu, manequim 44, fã de Bridget Jones, que ama comer Häagen-Dazs no sofá, pensar em me amar. O amor-próprio era para poucas, aquelas que não choram em provador por nenhuma calça servir. Além dos meus problemas com o corpo, achava que eu não merecia ser feliz, o que quase me fez perder um grande amor.

Eu vivia evitando me envolver em conflitos. Tudo isso para agradar as pessoas à minha volta, para me encaixar. Achava que a aceitação deveria vir dos outros e que a minha felicidade estava ligada à comida, aos 'amigos', ao tamanho do jeans e à quantidade de likes no meu Instagram. Até tatuei em meu pulso 'amor-próprio', para ver se absorvia a ideia, mas era uma busca quase impossível. O que fazer para ter orgulho de quem sou, sem me comparar com o outro?

Quando passei por um grave problema de saúde, percebi que, se morresse naquele instante, morreria sem sentir orgulho do que tinha vivido. Então resolvi mudar. Precisei passar por tudo isso para entender que a autoaceitação, o respeito por mim mesma e pelos meus sonhos vinham de dentro. O tamanho do meu jeans ou um doce podem me trazer prazer, mas felicidade... Ah, essa só eu sou capaz de plantar em mim. E, uma vez que for enraizada, meu bem, ninguém arranca por nada. Confia."

THAÍS ROQUE POTOMATI, COACH PARA MULHERES

Eu costumo dizer que a minha autoestima era negativa, era como uma ação em baixa na bolsa de valores. E só percebi que tinha um grande problema com ela quando me dei conta de que nunca estava bem comigo mesma.

Esse descontentamento me perseguiu por anos, era como amarras que não me deixavam sair do lugar. Oportunidades apareciam e eu não conseguia enxergá-las, pessoas legais surgiam na minha vida e eu nem percebia. Estava focada na autocrítica, atitude que beirava o desrespeito comigo mesma.

Me olhava no espelho, e nossa!, me sentia aquela menina que sofreu bullying na escola e que era tachada de mil apelidos maldosos – falaremos disso mais tarde –, me sentia insatisfeita com tudo, com a barriga, a coxa, o bumbum, o sorriso, a orelha, parava para avaliar minhas escolhas na escola e na profissão e me sentia burra e incompetente. Parecia que nada na minha vida daria certo. NUNCA.

MUITO ALÉM DA APARÊNCIA

Ao contrário do que muita gente imagina, a baixa autoestima não está ligada somente ao descontentamento com o corpo, com a aparência (e digo somente porque a aparência influencia e muito a nossa autoestima, assunto de que vamos tratar mais para a frente) – as pessoas tendem a ver o problema com a autoestima como vergonha de colocar biquíni na praia ou de sair em uma foto mostrando umas gordurinhas extras. O ponto é que existem muitas barrigas saradas carentes de segurança e confiança. Muitos famosos que conquistam milhões de pessoas acordam todos os dias com um sentimento de vazio. A autoestima vai além da aparência, é o que sentimos sobre nós mesmas, e não sobre aquilo que temos ou que os outros acham que somos. É aquele julgamento íntimo e intransferível.

INTRODUÇÃO

CAP. 1

CAP. 2

CAP. 3

CAP. 4

CAP. 5

CAP. 6

CAP. 7

CONCLUSÃO

Liste os defeitos que você vê em si mesma. Lembre-se: eles não precisam ser apenas físicos.

- ♥ _____
- ♥ _____
- ♥ _____

- ♥ _____
- ♥ _____
- ♥ _____

Durante uma semana, se analise com cuidado (e muita gentileza consigo mesma) e encontre as suas qualidades. Quero que escreva UMA por dia. Seria interessante escolher um horário para esse exercício. Do mesmo jeito que você planeja a sua rotina, você vai planejar uns minutinhos para escrever uma qualidade sua. Capriche!

- ♥ _____
- ♥ _____
- ♥ _____
- ♥ _____

- ♥ _____
- ♥ _____
- ♥ _____

Depois de sete dias, volte para a sua lista de defeitos. Leia cada item com atenção e veja se você pode riscar alguns deles – tenho certeza de que pode! Muitas pessoas, quando fazem esse exercício, acabam entendendo que nossos defeitos não nos definem, muito menos nossos problemas. Podemos compreendê-los de uma forma mais serena, entendendo que eles fazem parte da nossa trajetória, mas que não são um selo do que representamos para o mundo.

A nossa caminhada está somente no começo, e só se dar uma chance e um tempo para se autoanalisar já é um progresso muito importante.

Nova regra para a sua semana: lembrar as qualidades que escreveu e sempre adicionar outras tantas que for descobrindo.

A autoestima e o amor-próprio estão ligados ao orgulho que você sente de si mesma, das suas escolhas, e à maneira como isso transparece. Quando você está com a autoestima em dia, consegue enxergar suas qualidades em vez dos seus defeitos (e é capaz de tentar melhorar, com consciência, aquilo que acha que não está bom! Mas sem paranoia ou autodepreciação). Ter a autoestima em dia não quer dizer esnobar e se sentir melhor do que os outros, é gostar de ser quem é, mesmo que não goste de tudo em você. Sabe a conta do fim do dia? Então, é como se ela fechasse no saldo positivo.

Como contei no início do livro, vou propor alguns exercícios ao longo da leitura. Seria interessante fazê-los, pois colocá-los em prática e materializá-los numa folha de papel pode trazer descobertas incríveis.

A BOA AUTOESTIMA TRAZ OTIMISMO

Quanto mais à vontade e felizes nos sentimos com o que somos, mais fácil fica a nossa vida. Parece que uma mágica acontece dentro de nós quando estamos satisfeitas com quem somos e onde estamos: nós paramos de nos comparar com o resto do mundo, logo, nos sentimos gratas por habitarmos aquele corpo e viver aquela vida. O otimismo fortalece a ideia de que conseguimos ultrapassar barreiras e vencer desafios, ficamos mais confiantes quanto à nossa capacidade e não desanimamos diante de uma situação não muito agradável. Ser otimista é se movimentar, é entender que o sentimento ruim que pode nos invadir em determinado dia não traduz a nossa vida por inteiro.

Há pessoas que vivem relacionamentos amorosos ruins e nem por isso são traumatizadas ou fechadas para novos amores. Elas conseguem separar o relacionamento ruim da

INTRODUÇÃO

CAP. 1

CAP. 2

CAP. 3

CAP. 4

CAP. 5

CAP. 6

CAP. 7

CONCLUSÃO

imagem que têm de si. Enxergam esse acontecimento como parte da sua vida, mas não como algo que determina quem elas são. Outras vivem relacionamentos não tão bons, e isso as atinge diretamente. Ter vivido algo ruim com alguém traz, muitas vezes, um sentimento perigoso de culpa, é como se o fracasso da relação passada fosse de responsabilidade totalmente delas ou um recado do universo de que só merecem relacionamentos ruins. Isso costuma acontecer quando estamos com a autoimagem abalada. Sabe quando o vidro do box do banheiro está embaçado? É assim que a baixa autoestima age sobre nós. Não conseguimos ter uma imagem clara de nós mesmas e partimos para o autojulgamento, sem nem nos dar a chance de ver as coisas com mais clareza.

Dizem que os nossos pensamentos determinam nossas ações, correto? Se temos uma relação ruim ou até inexistente com a verdade, abstraímos o presente e rejeitamos o que está diante dos nossos olhos. Logo, sentimos dificuldade de enxergar o verdadeiro problema e entender de onde ele surgiu, por que aquilo aconteceu e qual o significado de passar por isso. Quando não estamos presentes na consciência, estamos distantes de nós mesmas e, consequentemente, da verdade.

Mas ser otimista não significa estar livre de dores e sofrimentos – esse pensamento seria absolutamente irreal –, apenas saber separar o joio do trigo. Buscamos entender a realidade para então elaborarmos uma solução. É como se existisse positividade mesmo em situações negativas, o que não significa ignorar a realidade. Muitas pessoas entendem a positividade como algo que existe nas coisas boas da vida ou, ainda, entendem que precisam rir ou ignorar um fato ruim para não se apegar a ele. Esse pensamento nada mais é do que perder a consciência da realidade e simular uma realidade própria. É uma ilusão achar que a positividade só existe nos momentos "bons".

Uma pessoa pessimista junta tudo em uma panela só e costuma generalizar a vida. Pe-ri-go-so! Se ela teve uma desilusão com alguém, vai dizer que ninguém no mundo é digno e que todas as pessoas são ruins. Muitas vezes, generalizar é mais fácil e mais atraente do que pensar em um fato isolado e se movimentar para trilhar outro caminho. Colocar a culpa no mundo é se vitimizar, e algumas vezes isso pode servir como uma cortina que tampa os olhos da realidade. Temos que tomar sempre bastante cuidado para não cair nesse vício de ser vítimas para poder buscar uma maior compreensão das nossas responsabilidades; afinal, é nesse movimento que crescemos, que evoluímos.

Lembre-se, a evolução está em viver o presente com consciência.

DICA DA PSICÓLOGA
Como introduzir o otimismo na nossa vida?

O otimismo é um estado emocional que cada um vive à sua maneira. Nem sempre é um estado permanente. Pode variar de acordo com o momento e a situação, muito embora algumas pessoas tenham como traço de personalidade ver o mundo e as dificuldades por um viés mais positivo e como uma abertura de possibilidades. Quanto mais centrados estamos no presente, mais conseguimos nos perguntar sobre novas maneiras de atuar e de conduzir nosso dia a dia. O otimismo tem relação direta com a autoconfiança e com o respeito por si e pela realidade. Alguns entendem que ser otimista é banir das avaliações a possibilidade do erro ou da frustração. Não se trata disso. O otimismo é a coragem para lidar com o que precisa ser lidado. É a confiança para tolerar a dor, a frustração e o inesperado. Pessoas corajosas são mais otimistas.

INTRODUÇÃO

CAP. 1

CAP. 2

CAP. 3

CAP. 4

CAP. 5

CAP. 6

CAP. 7

CONCLUSÃO

CAPÍTULO I

Vamos começar com a felicidade

Idealizamos a felicidade. Culpa dos filmes, das trilhas sonoras de cinema, das poesias lidas na escola? Pode ser, mas ainda acho que a nossa falta de aptidão em viver o presente prejudica demais o nosso bem-estar. Vemos a felicidade como algo distante, algo a ser conquistado, um prêmio por termos feito tudo certo na vida. Tipo a mocinha do filme, que sofre durante a vida toda para no fim, nos últimos minutos, encontrar a felicidade plena e seu príncipe encantado. Mas por que não conseguimos ver a felicidade como algo que faz parte do nosso presente, do nosso dia a dia?

Eu gostaria de dedicar este capítulo à felicidade. Sim, a mais famosa, almejada e idealizada palavra do século XXI.

CAP. 1
CAP. 2
CAP. 3
CAP. 4
CAP. 5
CAP. 6
CAP. 7
CONCLUSÃO

SER FELIZ NÃO É ESTAR FELIZ TODOS OS DIAS NEM GOSTAR DE TUDO SOBRE VOCÊ

Quem acha que ser feliz é estar alegre e sorrindo todos os dias não sabe como a vida funciona, me desculpe. A felicidade é um estado de espírito, está ligada a certas coisas que nos dão prazer, arrancam um sorriso de nossos lábios e fazem a gente se sentir bem. A felicidade não tem hora e, muitas vezes, nem um porquê. É um sentimento de bem-estar, aquela tal plenitude tão falada hoje em dia.

O ponto é que nós cobramos tanto a dita-cuja que ela virou uma obrigação ou até um objetivo inalcançável e superidealizado.

POR QUE DEIXAMOS A FELICIDADE NUM LUGAR INALCANÇÁVEL? JÁ PENSOU NISSO?

Veja só: acordamos no automático, levantamos quase involuntariamente com o toque histérico do despertador, tomamos café, escovamos os dentes, olhamos as redes sociais, calculamos o trânsito e assim vamos vivendo. Nós desejamos ser felizes, mas não nos preocupamos em viver o maior presente – que é o presente. Não vemos a felicidade no nosso dia a dia, nós a projetamos no futuro.

Vivemos reclamando. Uma hora é o chefe, outra são os colegas de trabalho, entramos em crise quando temos um amor, surtamos quando não temos, tentamos emagrecer, buscamos aquele corpo delineado que achamos que vai resolver metade dos nossos problemas, cortamos carboidratos, testamos a dieta da proteína, fazemos o jejum intermitente, testamos algo novo, odiamos o novo, voltamos ao velho, cansamos e por aí vamos. Fazemos tudo isso pensando no futuro, que pode ser dali a alguns dias ou alguns anos. Nós não estamos presentes no nosso presente, estamos absolutamente ligadas a um futuro sobre o qual não temos o menor controle. Louco, não?

Eu já fui essa pessoa, já acordei por acordar, vivi por viver e já testei todas as dietas que o mundo oferece, pensando que aquele corpo escultural me faria alguém mais feliz. Também já entrei em crise por não saber qual profissão seguir e já surte pela falta de sorte no amor. Eu já vivi o presente sem estar ali. Me lembro de viver alguns anos bastante focada em entregar meus trabalhos de faculdade, dar conta do meu trabalho numa empresa, encher o meu cofrinho e encontrar um amor de verdade. Eu conseguia cumprir minhas tarefas, era responsável, mas não me sentia feliz, não sentia que aquilo me dava prazer.

É uma sensação estranha essa, não? Por que achamos que a felicidade é algo que ganhamos? A felicidade está conosco, ela já é nossa, não precisa ser adquirida, comprada, ela não chega na sua vida embrulhada em um papel de presente com laço de gorgorão vermelho, ela só depende de você. Ela é sua, é uma energia positiva que faz parte do seu corpo. Nós nascemos com ela, só precisamos aprender a usá-la.

O que acontecia comigo naquela época? Não sei, não me lembro. Há momentos da minha vida de que eu não tenho memória (e juro que não tem nada a ver com excesso de álcool da juventude). As minhas lembranças desse período se resumem a uma vontade incessante de ser o que eu não era, só me lembro de querer muito ser alguém que representava um modelo de felicidade para mim, mas aquele alguém estava longe de ser quem eu era.

Só comecei a perceber isso quando rituais espirituais positivos começaram a ser introduzidos na minha vida. Não estou aqui para pregar

CAP. 1

CAP. 2

CAP. 3

CAP. 4

CAP. 5

CAP. 6

CAP. 7

CONCLUSÃO

nenhuma religião, nem é disso que falo. Esses rituais são agradecer, respirar, meditar; algumas ferramentas que me ajudam a me manter próxima de mim mesma, da minha essência, de quem eu sou. Eita, que profunda.

Eu só comecei a notar que estava vivendo no automático quando fiquei mais perto da minha espiritualidade, ou essência, como quiser chamar.

Foi então que percebi que estava vivendo a vida de uma maneira que não me agradava, e ainda por cima não fazia nada para reverter aquilo. A vontade de ser feliz era tão grande e tão idealizada que a minha vida toda era em função desse pânico de não ser feliz. Eu tinha muito medo da infelicidade, mas não me dava conta de que vivia nela.

INDO ATRÁS DA FELICIDADE

Você não vai atrás da felicidade, ela te conduz. A felicidade não é o ponto de chegada, o objetivo final; na verdade, é ela que te ajuda a alcançar os objetivos que você almeja.

Imagine que tenhamos um único objetivo na vida: ser felizes. Ok, bonito. Mas, ao colocarmos a felicidade nesse patamar, simplesmente a distanciamos da realidade. A felicidade não pode ser aquele pote de ouro no final do arco-íris, ela é o arco-íris todo, o caminho, a sua força, ela é você.

Confesso que levei muito tempo para entender que eu teria que deixar de buscar a felicidade, que eu só tinha que usá-la, porque ela já estava pronta, já era parte de mim, era toda aquela força que eu tinha, mas que não sabia identificar como tal.

A minha felicidade não era encontrar alguém na vida, ganhar dinheiro, ter sucesso no trabalho, a casa linda dos sonhos... Esses poderiam ser meus objetivos, mas eu não precisava esperar tudo isso acontecer para ser feliz, sabe? Como poderia depender do outro para ser feliz? Então quer dizer que eu só poderia me considerar uma pessoa feliz quando estivesse em um relacionamento? Ou quando a minha conta bancária estivesse cheia? Não me parece um meio saudável de viver a vida, de presenciar o agora.

Se você coloca a felicidade longe de você, ela fica inalcançável. Se você coloca a felicidade como um ponto de chegada, o caminho fica tortuoso e, se você acha que a felicidade é para poucos, está idealizando um sentimento que já faz parte de todos nós e está se colocando naquele lugar de vítima, de que nada de bom acontece na sua vida.

Desidealize a felicidade.

É MELHOR SER ALEGRE QUE SER TRISTE, MAS A TRISTEZA É IMPORTANTE

A falsa felicidade costura a vida de muitas pessoas. É lindo o tal do positivismo, mas existe uma regra clara na minha cabeça: ele precisa ser de verdade. Acordar agradecendo, viver com um sorriso no rosto, postar aquelas frases motivadoras nas redes sociais e repetir para si mesma que se é feliz o tempo todo podem ser sintomas da falsa felicidade. Afinal, ninguém é feliz o tempo todo.

Me considero uma pessoa bem positiva, mas entendo que as fases ruins me fortalecem e que é preciso cultivar a gratidão à vida para não se tornar uma pessoa azeda e com farpas na língua. Mas diria que acho saudável e enriquecedor sentir tristeza. Tem algo na solidão dos pensamentos e na melancolia que nos deixa mais profundos e mais próximos da nossa essência. Se deixar ser feliz é um dom, se deixar ficar triste algumas vezes, também.

As pessoas que eu conheço que vivem na falsa felicidade vivem uma vida de faz de conta e mal sabem quem são. É como se todos os seus passos fossem criados a partir de uma expectativa gerada pela visão

CAP. 1

CAP. 2

CAP. 3

CAP. 4

CAP. 5

CAP. 6

CAP. 7

CONCLUSÃO

distorcida do que é ser feliz e do que é pertencer a este mundo. Seu trabalho é se encaixar de acordo com as demandas propostas por aquela fantasia. Resultado? A pessoa perde a identidade, sua personalidade é invadida por um personagem que ela mesma criou, consciente ou inconscientemente. É como se ela jogasse um videogame de simulação de voo e se sentisse um piloto real de avião. Ela não separa a fantasia da realidade. Ela perde o que temos de mais valioso: a essência.

A vida no automático lhe parece tão óbvia quanto ir à padaria comprar um pão, ela não tem a consciência total de que vive um personagem. Claro que a conta sempre chega. Os sentimentos não podem ser presos eternamente na caixa do faz de conta e, de alguma maneira, eles vão transbordar. Há pessoas que adoecem com facilidade, se deprimem, ficam agressivas, sentem um vazio enorme por dentro, e por aí vai. A falsa felicidade tem um preço maior do que assumir a própria identidade, acredite. Ela insiste em

perseguir aquelas pessoas que não se aprofundam, que não se conhecem e que nunca tiveram coragem – por vários motivos – de ir em busca da vida que lhes cabe de verdade.

Mas já digo: viver de verdade tem seu preço e é preciso ter bastante coragem para permitir que isso aconteça. Fui viver a minha vida, de fato, depois de buscar muito autoconhecimento e respostas para alguns acontecimentos da minha vida. Quando o meu trabalho fez mais sentido, eu me senti segura comigo mesma, fui desatando aqueles nós que puxam a gente para a irrealidade. Desfiz relacionamentos de todos os tipos, sorrisos amarelos e uma obrigação constante que tinha de agradar a todos. Ô mania tóxica.

Entendi que a minha essência era aquela e que eu não conseguiria ser outra pessoa ou viver uma vida que não pertencesse a mim. Aquele automático havia sido desligado, o piloto era eu mesma. Comecei a limpar da minha vida relações que não me faziam bem e pessoas que não queriam a minha felicidade. Me lembro de ser uma fase bem difícil da minha vida, mas ao mesmo tempo me sentia mais leve. Era confuso. Como decisões tão difíceis de tomar poderiam melhorar a gente por dentro?

Aquela multidão de pessoas que tinha à minha volta havia diminuído. Eu estava escolhendo melhor e me dando conta de que não precisava de tantas pessoas para me sentir amada. O amor que me fazia bem vinha de poucas pessoas e aquilo era um complemento, e não a única forma de amar que existia. Eu havia conhecido o meu amor, aquele próprio, que nos faz acordar todos os dias satisfeitas com o que somos e com as decisões que tomamos, apesar dos pesares. Não queria pertencer a nenhum grupo, queria relações de verdade, sólidas e que me fizessem bem.

Eu estava escolhendo ser feliz, mas você acha que o caminho é só de flores, sorrisos e frases motivadoras no Instagram?

Ir atrás da sua essência e viver com verdade não é algo que acontece do dia para a noite. Antes é preciso conquistar muita satisfação pessoal e quebrar paradigmas e crenças para você não achar que depende dos outros para ser feliz. Todos os meus relacionamentos estavam mudando, e era eu que havia escolhido essa mudança porque não aguentava mais a minha vida numa bolha. Meu trabalho mudou, ganhou ainda mais sentido, as relações que mantive se transformaram em grandes relações e eu me sinto muito mais dona da minha vida. Não tenho mais agenda social – a não ser a do trabalho –, não vivo agradando tal pessoa, eu vivo de amor de verdade, de pessoas que estão comigo por um único motivo: por quererem estar ali, naquele momento, naquele lugar. Engraçado como a felicidade é descoberta através de atitudes não muito fáceis de tomar. Quando pensamos em felicidade, achamos que uma música de filme vai começar e que vamos correndo

CAP. 1

CAP. 2

CAP. 3

CAP. 4

CAP. 5

CAP. 6

CAP. 7

CONCLUSÃO

ser felizes, com aquele vento na cara digno de Beyoncé.

A real é que a felicidade custa porque ela tira de nós o peso do ego, do "ter que", só que isso também gera um estranhamento da outra parte, daqueles que ainda vivem um presente diferente do seu, daqueles que não entendem (de verdade) o que é essa escolha. Eu me senti sozinha muitas vezes. Esse descolamento que fazemos do que não nos pertence mais é intenso e trabalhoso.

Nesse caminho de encontrar a sua essência e escolher apenas o que te faz bem é preciso segurar a onda e não dar ouvidos ao seu ego ferido ou àquele medo de ficar só no mundo. Os grupos continuam os mesmos, a maioria das pessoas também. A única diferença é que você escolheu não ser "todo mundo", você escolheu ser você.

São vícios que vamos tirando aos poucos, ideias que nos foram incutidas, de que só somos felizes com muitas pessoas ao nosso lado, com uma mesa lotada de amigos e uma agenda social agitada. Não sou contra ter muitos amigos, aliás, bons amigos são grandes riquezas na nossa vida. Mas para reconhecer os amigos de verdade, você precisa identificar aqueles que não são, e, para isso, é necessário que entre em contato com a sua essência, com o que você acredita ser uma relação especial. Esse processo é intenso e requer muita paciência, mas entenda que só descobrimos como funcionamos e quem somos de verdade se conseguirmos peneirar melhor as relações. E quanto mais eu me aproximava da minha essência, de quem eu era, do que queria, tudo ia ficando mais claro e mais óbvio.

Costumava dizer para mim mesma: quero as boas relações, aquelas que me fazem bem, que são ricas em amor, em generosidade. Não quero caos, obrigações e nada que vá contra o que acredito.

Ter pessoas na nossa vida é ter companhia no sucesso, no fracasso, é saber perdoar e pedir perdão. As relações mais importantes são aquelas que, mesmo imperfeitas, são lotadas de boas intenções e amor. Essas, sim, nos trazem felicidade.

Então, antes de sair correndo por aí procurando o que te faz bem, cure o que te faz mal. Tire das suas costas tudo aquilo que não faz parte de quem você é, entenda que o preço de ser feliz é ser você mesma. E ser nós mesmas requer muita coragem, processos de incertezas, algumas grandes desilusões, mas é uma das transformações mais bonitas da vida. Tá vendo que até na dor há transformação e felicidade?

Preocupar-se demais com as aparências faz um mal danado. Ok, é uma delícia se sentir linda e bem consigo mesma, mas a obrigação de viver uma vida de propaganda de margarina – que, vamos combinar, nem bem ao coração faz – pode nos podar a liberdade de expressão, as escolhas importantes na vida.

Muitos de nossos valores vêm de dentro da nossa casa. Nascemos em uma família que carrega ideias de vida, de casamento e de escolhas de trabalho. Somos contaminadas por isso e, muitas vezes, doutrinadas a ser daquele mesmo jeito. Há famílias que estimulam os filhos a terem seu senso crítico aguçado, a escolherem o que lhes cabe e faz bem. Mas há muitas famílias que, por questões de aparência, sofrem com o medo do diferente, do incomum e acabam não deixando seus filhos simplesmente serem quem quiserem. Logo, ser igual ao pai, à mãe, aos irmãos, aos avós é algo obrigatório e absolutamente esperado. É engraçado como podemos nos tornar pais egoístas, não? Queremos ter filhos, mas eles precisam ser de determinado jeito. Mas por quê? Porque morremos de medo de sair daquele roteiro que predeterminamos na vida. Porque temos medo de que nossos filhos sofram por serem diferentes dos outros. Porque, na verdade, temos medo do que a sociedade vai pensar, medo das pessoas, de julgamentos.

Claro, nem sempre podemos fazer tudo o que queremos, nem sempre o nosso sonho é algo tangível. Mas viver muito longe do que nos faz bem é matar precocemente a chance que temos todos os dias de evoluir. Perceba como acabamos podando os nossos planos e vontades e limitando os nossos impulsos para reprimir a possibilidade de "ser diferentes".

Vivi por muito tempo longe da minha essência. Primeiro porque nasci com gostos e sonhos diferentes dos de minhas irmãs. Depois, porque estudei em uma escola que reprimia constantemente o meu apreço por beleza, moda, relacionamentos etc. Quando eu me libertei dessa escola, o que sobrava em mim era trauma por ser quem eu era; logo, me agarrei a um personagem que se encaixaria nas expectativas dos outros e que agradaria a maioria. Por muito tempo vivi relacionamentos que não tinham nada a ver comigo (e se nem eu mesma sabia quem era, como acertaria o melhor tipo de relação para mim?). Fiz amizades com valores diferentes dos meus (e quais valores mesmo eu tinha?) e até curso da faculdade eu escolhi de acordo com as expectativas dos meus pais. Resultado: quem era eu mesmo?

Quando fui buscar autoconhecimento e entender o motivo daquele vazio enorme dentro de mim, entendi que há muito tempo eu não exercia a minha essência. Estava longe dela. Foi numa consulta histórica com meu psicólogo que ouvi: "Você diz que quer tantas coisas na vida, mas não vejo você fazer nada para isso acontecer. Será que você quer mesmo tudo isso?".

Sabe aquele tijolo de verdade que cai na nossa cabeça e deixa a visão até meio turva? Pois é. Lá estava eu, sem nenhuma resposta. Poxa, logo eu, que tenho resposta pronta para tudo? Capricorniana, sabem como é... Saí calada e pensativa daquela sessão. O meu eixo havia sido alterado. Será que todos aqueles planos que tinha e que "queria" eram meus mesmo? Por que então eu não fazia por onde para alcançá-los? É fácil dizer, falar, pedir, reclamar. Mas e ir atrás?

Por muito tempo achei que quisesse trabalhar com uma coisa específica, namorar caras específicos e ter amigos específicos. Quanto mais você busca, mais você encontra. E o que você encontra não é sempre tão lindo. Minha cabeça era fechada, o meu mundo era aquele. Tinha escolhido o tal do curso de faculdade com base na expectativa alheia, aquele trabalho em que estava era tido como o máximo dos máximos, e aquilo bastava. Eu não expandia a minha espiritualidade, não buscava me conhecer. Estava totalmente presa ao roteiro de vida que aquele personagem vivia, totalmente longe da minha essência.

Pense no quão dramático foi encarar isso. Fiz mudanças, mexi em todos os âmbitos da minha vida. Sofri, porque todo descolamento é dolorido. Ampliei a minha visão, resolvi colocar uma lupa na minha vida e lá estava ela, toda craquelada, quebrada, sem muito sentido. Foi bonita essa transição, mas digo que é preciso coragem. Você passa a não ser mais aquela pessoa que quer agradar a todos, simplesmente porque não quer mais bancar esse papel. A quantidade de amigos diminui, mas a qualidade aumenta bruscamente. Fui mudando, mudando e continuo mudando. Gosto bem mais de mim dessa maneira, sinto que a vida é, de fato, vivida por mim, e por mais ninguém. Foi um longo caminho.

É preciso ter coragem para ser feliz.

CAP. 1

CAP. 2

CAP. 3

CAP. 4

CAP. 5

CAP. 6

CAP. 7

CONCLUSÃO

A FELICIDADE ESTÁ SEMPRE DISTANTE DE MIM

Uma coisa que costuma nos perseguir é aquele pensamento de que nunca conseguiremos atingir a felicidade. A pessoa pode viver bem, ter momentos felizes, mas está sempre reclamando de alguma coisa. Ela chega a apreciar algo, mas logo pensa que aquilo poderia estar melhor do que a realidade. O curioso é que ambas as felicidades (de obrigação e de idealização) são sempre de mentira, ilusórias. É como se os momentos fossem reais, mas a pessoa, não. Olha só como você pode complicar a sua vida escolhendo esse tipo de caminho. Além de a pessoa não conseguir viver o presente nem as coisas boas que a vida está lhe dando, ela ainda coloca certa culpa em si. É como se todos ao redor dela estivessem felizes, menos ela. Esse tipo de pensamento azeda as pessoas, as deixa pessimistas e infelizes. De tanto idealizar uma coisa, fechamos o nosso campo de visão para outras. Temos a mania de criar uma felicidade irreal, uma situação que pode nem fazer parte do nosso destino, logo, nada de positivo que surgir será visto com bons olhos. Também costumamos olhar para a vida alheia e achar que todos são muito felizes e que não vivem problemas, outra fantasia criada pela nossa cabeça. A mania de se comparar com o outro é fruto dessa visão distorcida de felicidade, de crenças que colocam as expectativas lá no alto, como se ser feliz nunca fosse possível ou fosse um sentimento exclusivo de algumas pessoas no mundo.

Imagine que trajeto triste de vida esse sem a felicidade, ela vira o pote de ouro no final do arco-íris somente. Você passa uma vida indo atrás de algo e só o encontra no fim? Não faz sentido.

A felicidade está em você e ela não depende de nenhum objetivo para aparecer, inclusive é por ela que você guiará a sua vida. Por isso é interessante repensar o que é felicidade: será que são as conquistas materiais? Mas isso seria algo tão pequeno perto do bem que ela faz. Para mim, ser feliz é ter liberdade, e eu descobri isso desamarrando algumas ideias fixas que tinha sobre esse sentimento. Liberdade de ser, de escolher, de viver da maneira que acred to. Se quero pular, eu pulo, se estou a fim de chorar, eu choro. Tem coisa melhor do que se sentir livre para ser? Nem brigadeiro de colher, nem aquela batata frita crocante e sequinha. Para mim, felicidade tem um nome: LIBERDADE.

SER é o que gera a felicidade; TER é uma consequência.

- ♥ SER – felicidade que ninguém pode tirar de você
- ♥ TER – consequência altamente volátil

> ### PARA NÃO ESQUECER
> O que a maioria acha nem sempre é a verdade absoluta. As crenças dos outros podem não ser as suas. Liberte-se dessa necessidade constante de aprovação. Você é a única pessoa que pode viver a própria felicidade.

SOU FELIZ PORQUE TENHO ALGUÉM

Embora o mundo esteja evoluindo rapidamente, ainda cultivamos a ideia de que ter alguém para chamar de seu é sinal de sucesso, felicidade, plenitude. E que, se você está solteira, algum problema existe.

Eu não gosto de radicalismos, não acho que isso ajuda no dia a dia e só faz as relações pessoais ficarem cada vez mais difíceis. Também não posso dizer que ser casada é ruim (no meu caso) e que isso não faz a menor diferença na minha vida, mas uma coisa eu posso dizer, mesmo estando na porcentagem das pessoas comprometidas e satisfeitas: ter

CAP. 1
CAP. 2
CAP. 3
CAP. 4
CAP. 5
CAP. 6
CAP. 7
CONCLUSÃO

alguém não é um status de sucesso, isso não me faz ser alguém melhor do que a pessoa que não está em um relacionamento.

Vamos entender um pouco essa questão da felicidade x casamento/namoro.

Desde muito nova eu me interessava pelo romantismo. Adorava escutar músicas de amor, era consumidora assídua de novelas, filmes, livros e tudo aquilo que traduzia as relações como a melhor coisa do mundo. Quando eu via um casal apaixonado, logo suspirava. Eu era a última romântica, achava que a vida era movida pela paixão, por estar com alguém. Logo na adolescência, troquei os livros pelos namorinhos. Só queria saber disso. Pensava em meninos, escrevia poemas e sonhava com meu vestido de noiva. Eu era aquela típica menina que ligava a felicidade a estar acompanhada.

Ok, é fofinho quando se é jovem, mas esse pensamento e sentimento romântico me fez confundir demais o que é o amor e atrapalhou a minha cabeça na hora de fazer escolhas. Passei anos da minha vida idealizando relações, tinha certeza de que ser feliz era viver um relacionamento com trilha sonora, olhos marejados e diálogos apaixonados. O problema é que ninguém me avisou que aquela maneira de pensar me traria muitos, muitos problemas.

Mas como ser romântica pode fazer mal a alguém?

Ser romântica pode ser legal, colore a vida e faz nossos pulmões trabalharem mais pelos milhares de suspiros dados por dia. Mas idealizar o amor, isso sim, é uma ideia que não faz bem a ninguém. A busca incessante por aquela perfeição te coloca em uma armadilha. No meu caso, era como se a pirâmide da felicidade da minha vida fosse: ter alguém, ter sucesso e ser feliz.

Primeiro que TER alguém é a maior ilusão da vida. Você não tem ninguém, não possui uma pessoa, você vive com alguém, divide sua vida com alguém, investe em um relacionamento com alguém, mas esse lance de TER não tem nada a ver com amor.

Ou seja, já comecei errando, tendo uma ideia inconsciente de que eu precisaria TER um amor, e não VIVÊ-LO.

A mesma ideia se aplica ao sucesso do trabalho. Você não ouve ninguém com uma carreira profissional brilhante descrever seu percurso como sendo focado no sucesso. Quando essas pessoas vão falar sobre sua trajetória, falam sobre paixão, amor pelo trabalho, talento, esforço, dedicação, fracassos, resiliência .. Ninguém foca o sucesso, ele é consequência de uma série de boas escolhas, trabalho duro e pouca expectativa. Mais uma vez eu estava errada; almejava o sucesso sem sequer prestar atenção no que estava fazendo. Sem nem me perguntar se eu gostava daquilo. Curioso que, pensando agora, o momento da vida em que mais sonhei ser bem-sucedida no trabalho foi quando eu estava mais infeliz profissionalmente. Faz sentido? Nenhum, mas é mais comum do que se imagina.

Agora vamos à base da pirâmide, o ponto que eu julgava mais importante como objetivo: ser feliz. Me diz como uma pessoa que tem isso como objetivo consegue acordar todos os dias e experienciar a felicidade? Não consegue. Simplesmente pelo fato de colocá-la como um ponto lá longe, quase um objetivo a longo prazo. A felicidade não pode ter prazo e não pode ser adiada. É muito mais cômodo que ela seja um ponto lá no fim do arco-íris, concorda? Assim você vai ter como culpar a sua infelicidade, vai poder dizer que não é feliz por alguma falha no seu percurso e eximir-se totalmente de qualquer responsabilidade.

A vitimização é uma atitude constante na vida das pessoas, ela é perigosa porque tira de nós o poder de evoluir. Ela nos coloca num lugar frágil, vulnerável e pouco consciente. Pioramos a situação quando escolhemos a vitimização quando nos convém. É como se ela fosse a fuga em situações não favoráveis.

CAP. 1

CAP. 2

CAP. 3

CAP. 4

CAP. 5

CAP. 6

CAP. 7

CONCLUSÃO

Relacionamentos, por exemplo, são cheios de erros de percurso, é impossível estar com alguém e não vivenciar momentos difíceis, crises, dúvidas e situações que coloquem a relação em xeque. Mas é também muito difícil fazer o exercício de assumir as responsabilidades pelos erros nesse percurso. Para algumas pessoas, assumir a culpa é quase experienciar a morte de sua autoestima. Há pessoas que não aceitam errar, não suportam falhar. Se você perguntar a um psicólogo (faremos isso em breve), essa questão de não assumir responsabilidades está diretamente ligada a autoconfiança, superproteção dos pais na infância e, por que não, um pouco de infantilidade. Para esses casos é como se a frustração fosse diretamente ligada ao fracasso.

Como vamos conseguir levar um relacionamento a dois se não assumirmos que um lado nosso também pode falhar? Se esse exercício não for feito durante a nossa vida, como vamos aprender a juntar os cacos? A felicidade também não está ligada a se reerguer?

Uma pessoa que vive um relacionamento em que não é feliz e define isso como motivo de sua infelicidade total é, claramente, alguém que se acomodou em enxergar a vida no papel de vítima e que acaba não saindo daquela inércia do pensamento negativo e do relacionamento destrutivo. Veja, o papel de vítima pode vir inconscientemente, é um modo como a cabeça dela opera há tempos, é como ela aprendeu a encarar uma situação difícil. Seu lema acaba sendo: "Uma vez infeliz, para sempre infeliz". Ou: "Eu mereço ser infeliz porque a vida me fez assim".

Todo radicalismo esconde uma falta, nós somos humanos, não somos perfeitos, por que então ser radicais? Se você não foi feliz em um relacionamento, que tal assumir as suas responsabilidades para se tornar alguém melhor depois? Que tal fazer um apanhado e entender o que deu errado ali para não repetir padrões? Ser feliz também é sair da zona de conforto, até porque seu conforto pode estar te fazendo muito mal. A sua zona de conforto pode ser a infelicidade.

Eu era a rainha de repetir padrões amorosos, para mim era confortável me relacionar com pessoas tóxicas. Ruim assumir isso, né? Mas o que posso fazer? Eu repetia o padrão do relacionamento ruim, aquele em que eu sofria e que me fazia mal. Entrava namorado e saía namorado, e lá estava eu com os mesmos problemas.

Mas peraí! Se eu passo por alguma situação que não foi boa para mim e repito isso de novo e de novo e de novo, há alguma responsabilidade minha nisso, não? Talvez ela seja inconsciente, mas há! Foi com bastante terapia e uma grande vontade de ter uma vida melhor e fora da minha zona de conforto (que era esse sofrimento constante) que resolvi investigar isso. Eu estava sempre à procura de alguém que não aceitasse quem eu era, me atraía por relacionamentos que podavam a minha personalidade;

eu ia mudando, perdia a cor, virava uma pessoa totalmente adaptada à infelicidade. O mais interessante de tudo é que eu tinha consciência disso quando o relacionamento acabava, mas bastava estar pronta para outro que tudo aquilo se apagava e eu me rendia ao que era mais fácil: não me impor e deixar aquela pessoa tomar conta da minha vida.

Para mim, estar com alguém dava a falsa sensação de estar com um andar da minha pirâmide preenchido, se era bom ou ruim, não importava, afinal eu nem parava para pensar no que me fazia feliz, até porque a felicidade era algo lá no final do meu arco-íris, bem longe de onde eu estava. Preencher o quesito amoroso era quase obrigatório, eu estava presa à ideia de que precisava estar com alguém, eu precisava TER um namorado para completar uma parte da minha vida.

As nossas convicções podem se tornar prisões, perdemos de vista o

CAP. 1

CAP. 2

CAP. 3

CAP. 4

CAP. 5

CAP. 6

CAP. 7

CONCLUSÃO

que é importante para nós, chutamos a felicidade para o fim do arco-íris somente para preencher o checklist do que acreditamos ser o melhor. E acabamos como? Infelizes. Não aproveitamos o presente, desconhecemos o melhor para nós e ainda corremos o risco de sempre culpar aquela pessoa ou aquele relacionamento que nos fez sofrer, assim não precisamos assumir responsabilidades

> **SER VÍTIMA DE UMA SITUAÇÃO É DIFERENTE DE SE VITIMIZAR ETERNAMENTE. NÃO COLOQUE A SUA FELICIDADE NAS MÃOS DE ALGUÉM, MUITO MENOS A SUA INFELICIDADE.**

nem sair da zona de conforto. "Sofrer por amor" pode virar um estilo de vida que vicia.

A COMPARAÇÃO TRAZ INFELICIDADE

As redes sociais têm um papel muito importante na sociedade. Hoje, temos voz, somos ouvidos, protestamos, tiramos aquele pano que impedia que víssemos certos acontecimentos. Conseguimos falar, aprender, compreender, saímos daquele mundo só nosso e podemos viajar para qualquer lugar. Mas como todo avanço tecnológico, as redes sociais também têm um lado negativo: elas estimulam a comparação (mais ainda), a inveja e a sensação de que a vida do outro é sempre melhor, mais feliz. Precisamos de bastante autoconhecimento e reflexão para admirar o outro em vez de querer ser ele. Precisamos escolher com cuidado quem vamos seguir e estar mais atentos às mensagens e conteúdo alheios. A pergunta que deve ficar na cabeça é: seguir determinada pessoa me faz bem ou me faz mal? Se te faz mal, desperta sentimentos de que você não gosta, faz você se sentir inferior, por que continuar? É um exercício difícil e complexo, mas que precisa ser feito. (Que fique claro que isso não é só culpa das redes sociais, é algo que sempre existiu. As redes só tornaram as coisas mais fáceis e mais rápidas.) Esse sentimento de comparação, de que a vida do outro é melhor que a sua, pode ser apenas um sinal da sua dificuldade em assumir o controle da própria vida e em resolver problemas. Custamos a entender isso, mas a vida de ninguém é perfeita, todos nós temos o famoso calcanhar de aquiles, precisamos resolver nossos problemas, lidar com as frustrações, e isso independe de filtros lindos e fotos perfeitas nas redes sociais. É sempre bom procurarmos sair daquela zona que nos deixa para baixo; nem sempre o que parece lindo e feliz no mundo digital traz bem-estar à nossa mente.

Outra questão importante é o movimento. Se movimentar não significa resolver o problema em questão, mas representa uma tentativa da sua mente de ir se desamarrando do pensamento constante que deprime. Se você está acostumada a ficar em casa com a sua tristeza, tente sair dessa rotina, só experimentar ver o mundo lá fora por alguns minutos já é um baita exercício. À medida que isso acontece, a falta de atitude não será mais bem-vinda e você sempre terá essa necessidade de se mexer quando estiver em alguma situação mais negativa. Outra questão é aquela fissura pelo ex: sabe quando você passa o dia seguinte e olhando todos os passos digitais de quem um dia fez parte da sua vida? Pois é, isso é tóxico. É um tipo de movimento que ajuda você a NÃO sair dessa fissura pelo outro. O mundo digital não mostra a verdade como ela é e você corre o sério risco de acreditar em tudo aquilo que vê nele. Eu sempre digo isso: o dedo pode coçar para você entrar e olhar, mas tudo o que você vai conseguir tirar dessa atitude é uma profunda sensação de vazio, de tristeza e de comparação. Esse vínculo digital só aumenta mais ainda a nossa ansiedade e também a ideia de que o outro está feliz e você, não.

CAP. 1

CAP. 2

CAP. 3

CAP. 4

CAP. 5

CAP. 6

CAP. 7

CONCLUSÃO

> **PRECISAMOS BUSCAR O MOVIMENTO, ELE NOS IMPULSIONA, É COM ELE QUE CONSEGUIMOS GRANDES TRANSFORMAÇÕES.**

Minha mãe sempre dizia: "Saia de casa, vá tomar um sorvete, comer um pão de queijo, não importa". Mas saia de casa, veja a luz do dia, aproveite alguns minutos para arejar os pensamentos. Fale sobre o que você sente com alguém em que confia, tire esse peso das costas. Quanto mais falamos, mais aceleramos o processo de cura. Foque em você: quanto mais dedicação você tiver com os seus sentimentos, mais rápido vai entender que você é sempre a prioridade. MOVIMENTE-SE, esse é o começo de tudo.

Os nossos problemas não precisam ser resolvidos de uma hora para outra; cada uma tem o próprio processo para sair de certas situações. O que não devemos é nos acostumar com o pensamento de querer ter uma vida igual à do outro e permitir que isso vire quase uma prece diária. Por exemplo, você não está em uma fase amorosa muito boa, mas sua melhor amiga está radiante, namorando uma pessoa legal. Não é muito mais fácil reclamar da sua situação e, sem querer, invejar a condição em que ela se encontra e não fazer nada quanto à sua? Não é mais confortável rezar o dia todo para encontrar um grande amor, mas não buscar entender o que é bom para você? Nós temos medo de tentar porque a tentativa pode vir acompanhada da frustração, e se frustrar é constantemente confundido com "ser infeliz".

Eu adorava me comparar aos outros e também cresci sendo comparada. Sempre acreditei que minhas irmãs eram mais inteligentes do que eu, e isso não vinha somente como uma admiração – um sentimento que tenho por elas. Por achá-las inteligentes, me colocava automaticamente no lugar de não inteligente, um lugar onde era inferior a elas. Quando eu via um casal apaixonado, logo me perguntava o porquê de eu não ter aquilo. Não percebemos, mas a comparação também nos deixa amargos e obcecados por uma idealização interna. Acabamos sentindo inveja, decepção e nos frustramos com muita facilidade.

Outro dia me peguei pensando sobre a tal da infelicidade que muitas pessoas sentem sem saber o real motivo. Não estou falando em depressão nem em nenhuma outra doença que culmine em tristeza absoluta. Tem gente que acorda e dorme infeliz, olha para o sol e reclama, odeia a chuva, não suporta o trabalho e automaticamente vai reclamando de tudo. Por outro lado, existem pessoas que mal têm água, passam por muitas dificuldades e se consideram absolutamente felizes. Não estou falando que sermos positivos é achar tudo lindo, me refiro à falta de movimento e de valorização da vida. É preciso valorizar o tempo e entender que a nossa infelicidade pode ser resultado de uma série de expectativas que não têm nada a ver com o que somos. Você pode se sentir infeliz e o real motivo disso é querer ser o outro, ter a vida do outro, o corpo, o cabelo, o dinheiro, a família do outro.

Vivemos em uma sociedade que possui valores que estimulam isso. Temos a lista dos mais bonitos, dos mais ricos, dos mais famosos, dos piores, dos melhores e assim vamos colocando nossos sonhos em rankings. Tipo: quero ter o melhor casamento de todos, ser a melhor mãe, saber mais do que todo mundo, ser a mais bonita, ter mais seguidores. Dificilmente pensamos em ser a melhor versão de nós mesmas, há sempre uma comparação por trás, um esforço em querer se provar para o outro.

> SER FELIZ NÃO É DAR CERTO, SER FELIZ É SENTIR QUE O LUGAR EM QUE VOCÊ ESTÁ É O CERTO.

CAP. 1

CAP. 2

CAP. 3

CAP. 4

CAP. 5

CAP. 6

CAP. 7

CONCLUSÃO

O amor-próprio, a autoconfiança e o autoconhecimento se conectam quando descrevemos um momento feliz na vida. Não é o dinheiro ou a fama, é aquilo que você é que te faz feliz. O negócio é parar de enxergar a

ESTAR VIVO É TER O PODER DA TRANSFORMAÇÃO. É SE MOVIMENTAR DIANTE DE SITUAÇÕES DIFÍCEIS E ENTENDER QUE TUDO É PASSAGEIRO, ATÉ A TRISTEZA.

DICA DA PSICÓLOGA

Por que as pessoas têm dificuldade em expor seu lado frágil?

Nem sempre conseguimos ter confiança em nos deixar conhecer. Socialmente, muitas máscaras nos são oferecidas, e, para muitas pessoas, elas não são apenas máscaras temporárias que usamos em determinadas situações; são como parte do que carregamos para esconder, deformar, quem de fato somos. Mostrar fragilidades requer confiança e coragem, além de discernimento para saber onde, para que e para quem estamos compartilhando nossos insucessos existenciais.

A dificuldade em se expor decorre do medo, também, de perder a admiração e o amor dos outros. A fragilidade, em certo sentido, revela as nossas faltas. Nem sempre há tolerância, pela maior parte das pessoas, para com o que temos de vulnerável, falho e frágil. Não é à toa que disfarçamos e falseamos nossa própria realidade. Em parte, por medo da não aceitação, em parte, por necessária autodefesa.

Assim como o excesso de dificuldade que se coloca em quase tudo é indicador de um processo de vitimização, evitar olhar para as fragilidades, tentando convencer-se de que tudo está maravilhoso, pode ser indicativo de uma luta interna para evitar lidar com tristezas, equívocos e imperfeições.

ponta do iceberg e entender que tem muito gelo embaixo da água. Nada acontece de um dia para o outro, todo sucesso tem em sua jornada inúmeros fracassos, e precisamos encontrar aquilo que desperte a satisfação em sermos quem somos, em vez de contar o que temos.

INVEJA

Palavra bastante usada por nós. Sentimento ruim que já invadiu a sua vida vez ou outra – não vamos mentir – e que é bastante autodestrutivo se não nos cuidarmos.

Sentimos inveja do outro, alguns sentem mais, outros, menos. Tem gente que classifica a inveja como "boa" quando se trata de um sentimento mais leve. Mas, para mim, inveja é inveja. Em todas as línguas e em todas as culturas.

Engraçado você pensar que do outro lado do mundo, em outra cultura, em outro continente, também exista a bendita da inveja. Não estamos livres dela nem quando cruzamos o oceano. Nascemos com a vontade de possuir coisas, de conquistar a vida, o que esquecemos é que existem outros bilhões de pessoas com as mesmas vontades e objetivos. Pior ainda é quando entendemos que até as pessoas que amamos, e que nos amam, também sentem inveja, e que esse sentimento, muitas vezes, pode destruir as relações.

Ter consciência da inveja

Falamos muito em viver na realidade, com consciência e essência próprias. Um grande passo para combater e transformar esse sentimento de inveja que vem à nossa cabeça é assumir que ele existe.

Não adianta ler o capítulo já pensando que você não sente inveja. Você sente. Mas não é a única no mundo. Fique tranquila quanto a isso. Pense uma coisa: qual o momento em que a inveja vem com mais força? Existe alguém em especial que te desperta isso? Já pensou no real motivo?

Pra mim, a inveja nada mais é do que uma grande insatisfação com nós

CAP 1
CAP 2
CAP 3
CAP 4
CAP 5
CAP 6
CAP 7
CONCLUSÃO

mesmas. É uma sensação de ter tempo demais para pensar nos outros, e não digo tempo de relógio. Ficamos tão distantes da nossa essência que a vida alheia nos parece bem mais interessante.

A inveja carrega uma agressividade quase incontrolável. Você sente que a pessoa que te causa inveja é uma ameaça para a sua vida e não consegue elogiar as qualidades dessa pessoa. É uma prisão dos maus pensamentos.

As mulheres sofrem bastante com isso. Ainda mais aquelas que se forçam a viver uma vida que não escolheram. Estamos conquistando a nossa liberdade, mas ainda há muito chão pela frente. Nós, mulheres, aprendemos a julgar desde cedo, pois tudo parece ser uma grande ameaça. A amiga que é mais bonita. A ex-namorada do nosso atual, que é, automaticamente, odiada por nós. Também vivemos aquela competição de ter a vida mais feliz. Abra seu Instagram e verá. Não só suas amigas fazem isso, você também. Existem competições por todos os lados, de todos os jeitos. Físicas, intelectuais, políticas. Precisamos mudar esses padrões, criar mulheres independentes e com o sentimento de sororidade. Precisamos nos desvencilhar do medo de "ganharem de nós".

Cultivar a inveja é projetar a sua frustração na vida alheia, é ter baixa autoestima por achar que alguém vai tomar seu lugar, ser melhor do que você etc. É difícil não sentir inveja quando a sua vida não vai bem. Então que tal cuidar disso, tratar com amor os seus problemas e enfrentá-los? Você não precisa desmerecer o outro nem querer o fracasso de alguém para se sentir bem – sentir-se bem ao ver o outro se dar mal é um grande aviso de que a sua vida e sua cabeça não estão bem.

Eu estava trabalhando com moda havia uns cinco anos, ganhava bem e era independente financeiramente. Era feliz? Já sabe a resposta, né? Bom, se dinheiro comprasse felicidade, eu até seria, mas a realidade é que a felicidade não pode ser comprada.

Eu estava viajando a trabalho, confesso que estava em uma cidade linda e muitos me julgariam se dissesse que, mesmo ali, eu me sentia infeliz. A minha cabeça ja havia descoberto que trabalhar com aquilo que estava fazendo não era a minha praia, ou seja, fazia tempo que eu tinha me conscientizado que estava indo por um caminho errado e que era aquilo que me deixava infeliz. No fundo, eu sabia o que queria fazer.

Então, lá estava eu, na Cidade Luz, no meio de pessoas lindas e chiques. Assistia a todos os desfiles mais incríveis de moda que você possa imaginar e estava totalmente deprimida. Acordava mal, dormia mal, não tinha pique e já começava a decepcionar a minha chefe, uma pessoa ultracompetente que, claramente, amava o que fazia. Para uma capricorniana, você não sabe o que isso significa. Nós podemos estar infelizes, mas temos que entregar 300% do nosso trabalho, imagine quando isso não acontece? Eu me cobrava diariamente, mas a coisa não fluía mais. Desespero total. Para onde eu iria? O que faria da minha vida? Será que abandonar tudo aquilo e seguir o desconhecido era uma atitude responsável?

Mesmo com a certeza de que mudaria de carreira, tinha um medo enorme de fazer a escolha errada. A vida toda eu tinha dito que gostava de moda, que meu sonho era trabalhar nesse meio; o que fez a minha cabeça mudar? A chegada da maturidade, eu diria. Aquela sensação de que os sonhos são, muitas vezes, ilusões criadas e que, quando colocados à prova, ali na realidade, se mostram diferentes e até contrários do que projetamos.

Olhava ao meu redor e sentia certa raiva de as pessoas serem felizes com seu trabalho e eu, não. Eu sentia inveja. Por que o meu trabalho não me dava esse prazer todo? Era uma mal-agradecida? Estava sendo malcriada com o universo? Quantas pessoas gostariam de estar onde eu estava? Muitas. Então por que eu sentia desprazer naquilo?

CAP. 1

CAP. 2

CAP. 3

CAP. 4

CAP. 5

CAP. 6

CAP. 7

CONCLUSÃO

Vou falar e repetir bastante a palavra "essência", pois foi ela que me trouxe para perto da minha real felicidade. Eu estava longe dela, havia escolhido um trabalho que era muito desejado pelas pessoas mas que eu não desejava. O que me fez escolher estar naquela situação? Eu queria ser bem-sucedida. Queria a admiração dos meus pais – naquela época, com uns 22 anos, eu pensava bastante nisso –, queria independência financeira, sei lá, eu queria ser a tal. Mesmo com tudo em dia, saldo bancário, roupas lindas da moda e passaporte carimbado, eu sentia inveja. Sabe que me lembro de esse sentimento surgir em situações bobas, corriqueiras? Sentia inveja de qualquer trabalhador satisfeito no mundo. Como é que as pessoas acordavam felizes? Eu me arrastava, e parecia que todos estavam bem. De novo, aquele soco na autoestima e aquela certeza de que eu não tinha sido feita para trabalhar.

Aqueles fantasmas da infância e dos parentes voltaram. Se diziam que eu era vazia, fútil, é porque devia ser mesmo. Se o trabalho não me trazia felicidade, eu deveria ser um zero à esquerda. Não tinha nascido para trabalhar. Será?

Quando se está no lugar errado, tudo fica errado. Eu passava o dia observando os outros, não tinha o menor interesse em mim mesma. Achava todo mundo muito sortudo, tinha raiva, acessos de choro, ficava triste, quieta, era um mix de emoções dificílimo de segurar, ainda mais nesse mundo de não poder ser triste. Além de tudo isso, me culpava. Olhava para o mundo e me achava uma egoísta por não estar feliz. Me senti assim outras vezes, em outros âmbitos da vida. Tudo fruto dessa constante insatisfação com a minha vida e do pouco movimento para mudar. Parecia que, se eu reclamasse, talvez conseguisse mudar as coisas. Fui descobrir mais tarde que a inveja era um sentimento que eu não queria ter e que havia somente uma coisa que poderia combatê-la: me encontrar de verdade.

CAP. 1
CAP. 2
CAP. 3
CAP. 4
CAP. 5
CAP. 6
CAP. 7
CONCLUSÃO

DICA DA PSICÓLOGA

Quanto mais autoestima, menos inveja?

Sim, uma das consequências da baixa autoestima é a inveja. Outra pode ser o oposto: a submissão aos outros, em que se valoriza qualquer ideia alheia em detrimento da própria experiência. Pessoas com boa autoestima frequentemente sentem mais admiração do que inveja.

A inveja pode ocorrer por ser um sentimento humano que surge, inúmeras vezes, involuntariamente. A inveja adquire uma dimensão indesejável quando se torna recorrente, um padrão no modo de viver de alguém.

O que se observa com frequência é que uma boa autoestima enfraquece a inveja e dá lugar à admiração, ao elogio e à colaboração. As relações com pessoas com alta autoestima se caracterizam por um maior grau de benevolência, respeito e dignidade. Homens e mulheres que sabem desfrutar do próprio entusiasmo também o desfrutam com os demais, assim como suas conquistas.

A baixa autoestima favorece que cada um se olhe como alguém sem recursos, competências e diminuído. Um dos destinos dessa situação é invejar, querer para si as qualidades e os recursos daquele que elege como possuidor dos melhores dotes. Portanto, quem sente inveja pode estabelecer relações muito tensas, nocivas e incômodas, afetando inclusive aqueles que estão no seu entorno.

CAPÍTULO 2

Por que somos treinados para diminuir a nossa autoestima?

Desde que você era criança, seus pais tomaram cuidado para que não se tornasse uma pessoa arrogante, que "se acha". Sempre que algo bom acontecia, eles tentavam manter seus pés no chão. Quando você cantava vitória, ouvia que havia uma série de coisas a serem melhoradas. Olha, eu acho que os pais estão certos em querer preparar os filhos para o mundo, não julgo, mas essa coisa de não podermos nos considerar bons em nada nos deixa um pouco confusos.

Se achamos que temos algum atributo que merece destaque, logo somos tachados de arrogantes, as pessoas dizem que "nos achamos" os tais. Então eu devo "me achar" de menos para que as pessoas gostem de mim? Devo dizer que não vejo beleza física quando me olho no espelho, para que assim as pessoas não pensem que sou metida ou algo do tipo? Devo ser modesta e não dizer que algo que eu fiz ficou realmente muito bom?

Por que a boa autoestima é tão julgada? Somos julgadas se temos baixa autoestima, mas também o somos quando estamos com ela em alta. Qual o limite?

CAP. 2

CAP. 3

CAP. 4

CAP. 5

CAP. 6

CAP. 7

CONCLUSÃO

Ser bonito demais, inteligente demais, rico demais pode causar um transtorno na sociedade. Ouço muitas pessoas que se incomodam quando veem sucesso, beleza e felicidade em alguém. O mundo admira os bem-sucedidos, mas ao mesmo tempo os odeia. Estou fazendo uma generalização, claro, mas sabemos que é difícil assumir a própria felicidade.

Talvez por crenças religiosas, por excesso de culpa ou mesmo por valores aprendidos em casa, o ser humano muitas vezes dificulta seu caminho para não incomodar as outras pessoas. Brilhar demais é errado, de acordo com essa concepção. Quem está muito feliz não pode demonstrar tal sentimento. Ser feliz num mundo igual ao nosso é feio, e você só é digno de ser feliz depois de passar por privações. O que nem todo mundo entende é que, como falamos no capítulo anterior, a felicidade não está em algo material, na beleza, na magreza, na inteligência; a felicidade está com a gente, ela faz parte da nossa autoestima, do nosso espelho interno, e quem está com isso em dia se sente bem, feliz e, muitas vezes, incomoda.

Temos tendência a sempre colocar os nossos defeitos na frente das qualidades. E quando se é mulher, isso fica mais evidente. Já tentou dizer que gosta de alguma coisa em você? Aposto que essa frase virá seguida por uma lista de defeitos que te incomodam. Fazemos isso para evitar que as pessoas pensem que nos achamos seres soberbos. A real é que temos medo de estar bem com nós mesmas, tememos a nossa luz própria. É algo cultural, até religioso. A sociedade é ainda mais cruel quando a pessoa que está expondo a alta autoestima é uma mulher.

Será que a sociedade está pronta para mulheres com boa autoestima?

Eu me pergunto isso toda vez que leio alguma reportagem sobre uma celebridade que foi linchada nas redes sociais porque mostrou seu corpo, porque ficou com tal pessoa ou porque quis se separar de alguém que o mundo julgava perfeito. As mulheres com mais segurança e autoestima são, muitas vezes, chamadas de nomes pejorativos, são tachadas de pessoas sem valor, que não servem para casar ou ter algo sério. É tão patético. Desesperador.

Para os homens parece mais fácil. É esperado que eles sejam seguros, que saibam se impor, que transbordem confiança. Mas as mulheres ainda são vistas como o sexo frágil; se demonstram segurança, é porque algo está errado. "Aonde ela vai com essa bola toda?"

Somos julgadas o tempo inteiro, e o que é pior, por outras mulheres. O que acontece também é que há uma falta de sororidade. Neste mundo machista, há mulheres que detonam outras que se destacam pela sua independência e segurança. A funkeira não é mulher séria. A empresária é masculina porque ganha demais. A mãe solteira foi incapaz de segurar o marido. A divorciada é louca de ter jogado fora a vida de casada. A mãe que trabalha não é boa mãe. A bonita não é inteligente.

Então à mulher só resta seguir os padrões impostos de como ser uma boa mulher? Não pode se destacar nem demonstrar segurança e domínio sobre si mesma?

Mulheres, nós precisamos mudar.

Faça um exame na sua consciência. Você julga as pessoas que parecem mais seguras, que expõem suas opiniões e o corpo? Sei que é difícil não julgar, não comentar, mas peço que comece a analisar os seus comentários, os seus pensamentos. Esse é o primeiro passo para ajudar a mudar esse estigma sobre as mulheres e nos dar a oportunidade de desenvolver uma autoestima poderosa! Você também vai colher frutos dessa atitude.

O machismo ainda está presente em nossa vida e precisamos lutar contra ele todos os dias. Ou não vamos andar para a frente. Não vivemos mais no período paleolítico, não somos animais que vivem da caça e da reprodução. Ainda bem que podemos escolher, que podemos tomar nosso anticoncepcional porque não queremos ter filhos naquele momento ou pela vida toda. Ser mãe ou estar casada não te coloca numa prateleira superior, nem o contrário.

Nós, mulheres, somos fortes, flexíveis e dotadas de muita inteligência emocional – para mim, a mais difícil de ter. Precisamos aproveitar isso e dar

CAP. 2

CAP. 3

CAP. 4

CAP. 5

CAP. 6

CAP. 7

CONCLUSÃO

lugar a uma autoestima boa, saudável. Você pode se achar bonita, você DEVE se achar bonita. Você deve se olhar no espelho e se orgulhar. A sua vida te deu esse corpo e essa saúde para você realizar lindas missões. Não dependa da opinião alheia para trilhar o seu caminho, você não precisa disso.

Nós vencemos na força e na doçura. No amor e na paixão. Somos, sim, muito especiais, e é bom se sentir assim. Não somos formadas na escola de princesas, porque somos livres para sermos o que quisermos.

Minha mãe costuma dizer que criou três filhas independentes sem pensar no feminismo ou no machismo. Ela criou a gente assim pelo bom senso humano. A liberdade cabe a todos e é um direito nosso. Precisamos colocar isso na nossa vida, entender que é preciso quebrar padrões antigos, mas ainda muito recorrentes. O bom senso precisa reinar.

Podemos casar de branco, podemos nunca casar. Podemos querer ter filhos, querer adotar, não querer constituir uma família tradicional. Podemos ser gays, podemos ser héteros,

podemos ser transgêneros. O amor é o amor e ele constrói coisas lindas pelo mundo. Já viu o amor destruir alguma coisa? O que destrói é o preconceito, a ideia de que todos precisam ser iguais ao que fulano pensa que é certo. A ganância, a inveja e a cabeça pequena com línguas destiladoras de veneno. O que destrói é aquele olhar carregado de julgamento para o que é diferente, é a arrogância de se achar melhor pelo dinheiro, pela beleza, pelo cargo que você ocupa na empresa. O salário não define quem a pessoa é, desculpe informar.

Nunca se falou tanto em aceitação. Mas e aceitar o que é diferente de você? Você aceita? E ter um filho que não pensa igual ao que você pensa, mesmo você tendo feito tudo o que todos os livros de mães falam para fazer? Ou um filho diferente de tudo aquilo que você planejou? Já pensou em quantas expectativas próprias colocamos no outro? Só sofremos com as diferenças porque entendemos que elas são contra nós. Não são.

Eu torço para que as mulheres fiquem à vontade por serem mulheres, que os homens possam chorar sem serem rotulados como frágeis e que as pessoas possam amar da maneira que elas queiram. Isso faria bem ao mundo. Isso livraria a vida das pessoas de muitas violências. A liberdade faz parte de nós, é por causa dela que expressamos quem somos.

Resolvi escrever sobre amor-próprio porque acredito – de verdade – que só o amor pode tornar a nossa vida melhor. Se aceite, mas aceite a sua amiga que pensa diferente de você, a sua vizinha que casou com a namorada de infância, o seu chefe que é pai de duas lindas crianças com seu companheiro de longa data. Aceite a mãe independente ou aquela que escolhe largar tudo para ficar em casa. Aceite quem não faz questão de ganhar tanto dinheiro e também quem quer ser rico. Aceite quem escolheu não ter relacionamentos amorosos duradouros. Quem se separou ou quem escolheu ser casado/a com a mesma pessoa até o dia de sua morte.

Deixe as pessoas serem quem são. Seja também como você deseja. Deixe o problema para quem se importa com o problema. Trabalhe o amor-próprio, ao próximo e ao mundo. Se aceite, se ame. Faça isso da porta para fora também. Ajude. Tenha compaixão. E torça sempre pelo amor. É ele que ganha. Sempre.

Autoestima não é só uma relação com o nosso corpo.

Felicidade não é só postar positividade nas redes.

Bondade não é só concordar para agradar a todos.

Humor não é rir de tudo e fazer piada de qualquer assunto.

Ser você é ser única.

Ser o que os outros querem é ROUBADA.

Viva a NATURALIDADE.

Tenha a SUA.

CAP. 2 / CAP. 3 / CAP. 4 / CAP. 5 / CAP. 6 / CAP. 7 / CONCLUSÃO

CAPÍTULO 3

Necessidade de pertencer

Parece clichê, mas a vida é tão mais fácil quando a gente é criança. A gente brinca e se diverte com qualquer coleguinha, independentemente do sexo, dos gostos, da marca de roupa. A única coisa que importa é se ele é legal e se gosta das mesmas brincadeiras que a gente.

Quando crescemos, as coisas começam a mudar de figura. Os grupinhos começam a ser formados e, para não ficar isolado, a gente faz qualquer coisa para se encaixar. Coisas que a gente nem imaginava. Ninguém quer ser isolado ou não fazer parte dos grupos mais populares do colégio. Esses grupos dão status, "respeito", te tornam uma pessoa desejada, invejada.

Ser isolada faz mal para a nossa autoestima, a gente se sente rejeitada e passa a acreditar que algo está errado. Mas uma coisa que ninguém pensa é: mudar a nossa essência para nos encaixar também não fere a nossa autoestima, os nossos valores? A gente não deveria ser aceita e querida por aquilo que é, sem precisar esconder o nosso verdadeiro eu? (Isso vale também para sermos aceitas por nós mesmas.) Por que precisamos mudar para fazer parte de um grupo?

CAP. 3

CAP. 4

CAP. 5

CAP. 6

CAP. 7

CONCLUSÃO

Como falamos lá no primeiro capítulo, amor-próprio é se aceitar, é descobrir a sua essência, amar aquilo que você é e, pouco a pouco, mudar aquilo de que você não gosta. Sei que nem sempre as coisas são tão claras, que algumas decisões parecem inevitáveis, mas cabe a você decidir até que ponto os seus valores podem ser feridos apenas para fazer parte de algo que um dia deixará para trás caso queira ser quem de fato é. Você vai ver que, quando descobrir quem é de verdade, o que te faz feliz, não precisará da aprovação de mais ninguém além de si mesma.

Adoro bater papo com meninas na pré-adolescência e adolescência, sempre quero saber se elas gostam da escola, como são os grupos, como as pessoas se dividem, se existe bullying etc. As respostas são as mais variadas, até porque a tecnologia avançou e agora os grupos não são determinados somente no colégio, mas também nas redes sociais e em tantos outros lugares onde se pode estar digitalmente.

O bullying, infelizmente, continua, as patotas das populares também, e ainda existem aqueles que são chamados de nerds. Alguns são escolhidos por um seleto grupo de meninas e meninos tidos como populares, e os que ficam de fora acabam sujeitos ao bullying.

Fico surpresa de pensar que, mesmo depois de tantas campanhas, documentários, matérias em revistas e jornais, nós ainda não tenhamos aprendido a aceitar o outro ou conviver com quem é diferente da gente. A minha história é marcada pelo bullying, o que não faz de mim uma coitada, nem quero ter essa postura, mas passar por isso mudou a minha visão sobre muitas coisas.

No primário, sentia que pertencia à escola que estudava, tinha amigas e a minha relação com os outros grupos da classe e da escola era tranquila. Embora existisse essa coisa de populares e nerds, esse tipo de distinção não era gritante.

Na primeira vez em que fui vítima de uma gozação, de um "semibullying", fiquei desconcertada, lembro até hoje. Uma menina perguntava para as outras a idade de suas mães, e, na minha vez, eu disse que ela tinha 33 anos. Na mesma hora a garotinha soltou uma gargalhada e disse: "Sua mãe é velha! A minha tem 25, a sua mãe é uma vovó!". Nem preciso dizer que aquela frase atiçou a risada de algumas das meninas presentes e eu fiquei com a maior cara de tacho. Me lembro de ficar confusa, queria defender a minha mãe, mas ao mesmo tempo sentia raiva por ela não ter 25 anos. Gente, pensa, eu era novinha, nem sabia direito o que estava sentindo. Hoje consigo entender que essa raiva surgiu no momento em que eu percebi que não pertencia ao grupo de meninas com mães de 25 anos, e isso deu um nó na minha cabeça. Provavelmente a idade deveria ser uma questão importante dentro da casa dela, e ela a reproduziu daquela maneira.

Para mim, não existe sentimento pior do que o de rejeição. Como é difícil apontarem o dedo para a gente.

É duro demais. É por isso que, quando somos jovens e bastante imaturos, fazemos qualquer negócio para pertencer a um grupo e não ser motivo de chacota. E é aí que mora o perigo. Há muitos casos em que uma única pessoa faz bullying e o resto assiste sem dizer nada. Esses espectadores não tomam uma atitude por medo de passarem a fazer parte do "outro lado", de se tornarem o novo alvo. É como se quem sofre o bullying fosse um espelho do que pode acontecer com você caso não faça parte do grupo.

Honestamente? Eu não sinto saudades de ser pré-adolescente, e não daria nada para voltar aos meus vinte e poucos anos. O mundo sem maturidade e segurança é difícil, lidamos com muitas questões e sentimentos diversos que pipocam na nossa cabeça todos os dias. Mas aí eu penso: preciso escrever, falar, contar a minha história porque há muitas pessoas incríveis com essa idade passando por esses dilemas, e a gente precisa continuar nessa luta contra o bullying,

CAP. 3
CAP. 4
CAP. 5
CAP. 6
CAP. 7
CONCLUSÃO

contra aquilo que fere, que ofende e que deixa marcas profundas nas pessoas para o resto da vida. Também penso que, um dia, terei filhos, e preciso contar a eles a minha experiência, preciso alertá-los sobre a importância de ter compaixão, por nós mesmos e pelo outro, e dizer que eles precisam lutar sempre contra essa onda de desamor que a vida real nos traz.

Desde criança eu me fascinava pelo mundo da beleza, da moda, eu gostava de observar o mundo, e isso se refletia no jeito como eu falava, como me arrumava, como pensava, nos meus sonhos e "planos". Eu era diferente das minhas irmãs, dos meus avós, tios, primos, de quase todos ao meu redor. Desde cedo eu causava uma curiosidade nos meus pais, pois adorava passar batom e ficava vidrada quando subia num salto alto. Minha mãe, psicóloga, zero ligada ao mundo da moda, estranhava. Meu pai, que trabalhava com moda, mas como empresário, também notou certa tendência minha por coisas de que minhas irmãs nunca gostaram, como bolsas, maquiagens, desfiles de moda, revistas etc. Tudo o que é diferente de nós causa um conflito interno, ainda mais quando somos pais de uma pessoa tão diferente da gente. O tempo foi passando e um belo rótulo foi colocado em mim pelos meus familiares. Eu era uma menina que gostava de coisas fúteis, era supervaidosa e motivo de gargalhadas daqueles que não entendiam que eu fosse diferente deles. A minha família sabia que eu destoava dela, mas sempre protegeu minhas vontades e nunca tolheu meus desejos e o meu jeito de ser. Mesmo assim, aos 12 anos eu já carregava o rótulo de menina fútil. Para dar uma piorada, era alvo constante de comparação com minhas irmãs. Os parentes adoram fazer isso, que coisa mais chata, não?! Eu tinha o nariz parecido com o do meu pai, e isso era dito a todo momento. Ouvia que teria que operar e fazer uma plástica, que era bonita, mas o nariz... e fui convivendo com isso ao longo da minha vida. Mas, que fique claro, eu não era a única vítima. Tinha a gordinha, a que ia mal na escola, o primo que fazia tudo errado, o porra-louca, ou seja, todos nós carregamos pesos nas costas que são colocados pelos outros. Sabe o pior? Achamos, por um bom tempo da vida, que esses problemas são nossos e nos culpamos por sermos quem somos.

A história só estava começando, a minha pré-adolescência havia chegado e eu estava expandindo meu círculo de amizades fora da escola. Comecei a perceber que a vida inteira havia tomado um sabor de sorvete que achava ok; quando vi que fora da minha escola havia uma outra sorveteria onde eu poderia provar mais sabores – bem melhores (metáfora maravilhosa que um amigo fez quando se descobriu gay) –, entendi que o mundo ia além do colégio.

Os dias passavam e o que havia fora da escola ficava cada vez mais interessante. Conheci pessoas com gostos parecidos e que me acolheram de braços abertos. Já na escola, eu enfrentava pequenos eventos de meninas me criticando porque eu era muito vaidosa, metida e por só querer saber das pessoas de fora. O tempo foi passando e essas amizades fora do meu círculo escolar foram ficando cada vez mais fortes. Por outro lado, a situação no colégio estava se agravando. Eu não tinha o mesmo estilo das populares, era muito patricinha – como me chamavam – e então não servia para andar com elas. Me lembro de essas meninas dizerem que eram a favor da democracia, da liberdade de direitos, mas o que elas mais faziam era podar quem não estivesse de acordo com o que elas pensavam. Baita democracia essa, não? É tipo: "Eu penso assim e acredito que ser livre é a resposta para o mundo. Mas se não pensar igual a mim não serve". CON-TRA-DI-TÓ-RIO.

Eu tive a má sorte de estudar em um colégio cujo maior intuito era

CAP. 3
CAP. 4
CAP. 5
CAP. 6
CAP. 7
CONCLUSÃO

fazer todos os alunos serem a mesma coisa, e a minha série foi avaliada como uma das piores em casos de bullying, brigas etc. Sortuda, eu!

Os dias se passavam e eu era cada vez mais excluída. Me lembro de passar o recreio sozinha, sentava num canto e lá ficava. Algumas meninas passavam rindo, falavam alto algo para me ofender, e meus dias eram assim. Algumas, poucas, me resgatavam em alguns dias, tinham pena e vinham me fazer companhia. Mas isso não durava muito. Veja como isso é complicado: se ajudassem, estariam indo contra aquele grupo controlador e poderiam se tornar outra de mim. Ou seja, a bondade não durava muito pelo medo da repressão. Vivi assim por um bom tempo, posso até arriscar a dizer que vivi isso por mais de um ano. Perdi grupos de trabalho, as pessoas não me escolhiam na educação física e eu havia caído na malha fina das populares. Por mais que minhas amizades fora do colégio fossem muito legais, eu passava a

maior parte do meu dia na escola. Era um terror. Posso dizer que, a cada virada de cara, palavra ofensiva ou risadas debochadas, uma parte de mim morria. Eu tinha raiva de ser quem eu era, mas não conseguia deixar de ser. Me perguntava se era tão ruim assim para ser odiada, e, no final das contas, minha autoestima, amor-próprio e qualquer outra palavra que significasse algo de positivo em mim estavam morrendo.

Fui me deprimindo, odiava os domingos porque sabia que na segunda-feira tudo começaria de novo. Tinha vergonha de contar aos meus pais o que estava acontecendo. Eu tinha 14 anos, a minha cabeça não era esclarecida.

É importante dizer que a escola não estava preparada para encarar o bullying, os professores se fingiam de cegos com esse movimento de exclusão. Me lembro de a professora presenciar situações constrangedoras na sala de aula e deixar para lá, ou dirigir a bronca à pessoa que estava passando pela humilhação, e não a quem estava fazendo a coisa errada. Enfim, era confuso. Era difícil.

Por outro lado, minhas irmãs eram felizes no colégio, faziam parte da turma delas e eram superincluídas. Outro motivo que fez eu me sentir uma pessoa errada, o famoso peixe fora d'água.

Meus pais sempre acompanharam de perto o nosso desempenho na escola, o nosso desenvolvimento, e notaram que minhas notas haviam caído muito. Na minha casa não tinha essa de ter uma nota boa e pronto. Se o boletim viesse vermelho, eles investigavam o que estava acontecendo de fato. Sempre fui boa aluna, muito boa mesmo. Nunca tirava abaixo de 8, mas nesse momento eu cheguei a tirar 4,3... Era impossível ter forças para estudar; aquele lugar era um martírio para mim, me concentrar para tirar boas notas era a última coisa que fazia. Com meus pais de olhos abertos e cada vez mais certos de que deveríamos pensar em outro lugar para eu estudar, o tal *gran finale* aconteceu. Eu voltava do recreio, obviamente depois de ter passado aquela meia hora interminável sozinha, e quando cheguei na classe para assistir à próxima aula, encontrei a porta trancada, o que era impossível de acontecer naquela escola. Eu conseguia ouvir gritos e risadas vindos de dentro da classe e percebi que algo estava errado. Tentei forçar a maçaneta, e nada, alguém prendia a porta do outro lado. Bati algumas vezes naquela madeira pintada de azul, nunca me esqueço, até que abriram a porta. Na lousa, desenhos de mim com um nariz gigante e palavras como burra, porca, nariguda e outras coisas de que nem me lembro mais. Em frente à lousa, quase uma classe toda, às gargalhadas, jogando bolinhas de papel em mim. Nem sei se o que passei é tão forte como as histórias que ouvimos e assistimos por aí, mas posso dizer que feriu a minha integridade. Eu me senti tão constrangida que nem segurar o choro consegui. Fui, aos prantos,

CAP. 3
CAP. 4
CAP. 5
CAP. 6
CAP. 7
CONCLUSÃO

até a minha carteira, e lá fiquei de cabeça baixa. Ninguém, nem uma mísera pessoa, se aproximou para me consolar ou defender. Quando a professora chegou e viu aquela bagunça toda, entendeu que o negócio era comigo e disse: "Michelle, você também fica aí chorando, só provoca mais eles. Vai lavar o rosto, que as suas notas estão ruins e você precisa estudar". Precisa falar mais?

Não tinha professora, nem amiga, nem colega, nem ninguém que dissesse algo legal para mim. Na minha cabeça, eu era o resto, aquela parte que não importava, alguém errada, burra, fútil. Voltei para casa muito mal, fui direto para a minha cama e lá fiquei. Minha mãe e meu pai chegaram mais tarde e viram que a situação não estava boa. Me lembro de a minha mãe dizer: "Filha, você está deprimida, essa escola não dá mais para você. A partir de hoje, você não estuda mais lá". Detalhe, era maio! Como é que eu ia conseguir uma escola que me aceitasse quase no meio do ano? Como poder

de mãe é poder de mãe, consegui mudar de colégio, e só de não ter que ver aquelas pessoas todos os dias já era motivo de muita felicidade.

Para resumir, porque esta não é a minha autobiografia, eu fui para outra escola, fui aceita e fui feliz. Fiz amigos, construí uma linda história de adolescente e, ainda mais importante, virei uma pessoa bastante defensora daqueles deixados de lado no colégio. Ajudei muita gente que sofria de bullying, fazia questão de incluí-los nas atividades, viagens etc.

Só não ache que isso é final feliz de filme. Quem passa muito tempo sofrendo bullying, rejeição, zoação, como você quiser chamar, ainda vai colher uns frutos não tão bonitos assim no futuro. Havia um buraco dentro de mim, uma marca que aquelas pessoas e aquela escola tinham deixado na minha vida. Quase não tinha autoestima e resolvi – inconscientemente – criar uma máscara social, me transformar numa pessoa que não corresse mais risco de ser rejeitada. Fui me moldando aos grupos, à escola, e assim caminhei por um bom tempo. Depois disso, chegou a hora de iniciar a minha vida amorosa, de ficar com meninos, namorar. Mais uma vez, aquilo que eu tinha sentido com o bullying voltou com força total. Só que maquiado de outra forma. Por muito tempo, escolhi pessoas que me colocavam para baixo e por mais tempo ainda eu achei que relacionamentos amorosos viriam para me salvar de mim mesma. Papo bem profundo.

Eu não me achava grande coisa e morria de medo de ser julgada ou rejeitada. O que acontecia? Vivia me adaptando aos relacionamentos, engolia sapo, deixava o outro "mandar" na minha vida. Eu não sabia minhas qualidades e era superfocada nos meus defeitos. Sofria porque um relacionamento sem autoestima e amor-próprio é errado, é um fracasso por si só. Eu só troquei o bullying de lugar, em vez de ser na escola, havia levado para a minha vida amorosa de adolescente.

O importante não é barrar o sofrimento, porque ele é inerente à vida humana. Mas é necessário saber o que fazer com ele, saber que ele existe e que uma hora precisa passar. Eu não tinha essa consciência, ia vivendo, atropelando meus sentimentos, e isso me feria cada vez mais. Até eu descobrir quem era, o que queria da vida e como eu queria que meus relacionamentos fossem, demorou bastante. As feridas que ficam dentro de nós precisam ser tratadas, faladas, é importante que coloquemos para fora a nossa dor. Só assim vamos conseguir drenar aquilo que corrói a nossa alma. Foi com a terapia que consegui ir me livrando das amarras do passado, foi com ela que a minha cabeça foi perdoando aqueles que me fizeram mal, e foi dessa maneira que me perdoei também. É um processo transformador e muito rico de autoconhecimento.

O bullying não é pouca coisa; todo sentimento tem relevância e nós

CAP. 3
CAP. 4
CAP. 5
CAP. 6
CAP. 7
CONCLUSÃO

precisamos ficar atentas a isso. Preste atenção na sua amiga, no seu filho – se tiver –, observe e tente combater aquilo que está fazendo o outro sofrer.

Até pouco tempo atrás eu ainda temia encontrar alguém daquela época, até que chegou o dia em que fiquei cara a cara com uma dessas pessoas do passado. Minhas mãos suavam frio, eu tremia de nervoso, parecia que todo aquele medo havia voltado. Não falei com a pessoa, mas fiz questão de encarar meu medo e olhar bem fundo nos olhos dela. Percebi o seu constrangimento e entendi que, muitas vezes, as pessoas são reflexo daquilo que fizeram com ela ou do que elas viram. A minha mágoa passou, eu precisava daquele momento para entender que o bullying não é quem eu sou, é parte da minha história e serviu para eu estar aqui contando para alguém que passa pela mesma situação que eu passei.

O meu relato pode servir para algum pai ou mãe perceber um comportamento estranho no filho ou somente fazer com que as pessoas compreendam melhor a existência do bullying e que ele precisa ser combatido. Nada acontece por acaso, nem nossos maiores sofrimentos. Se você passou por uma história parecida ou muito pior, entenda que essa experiência pode ser superada. Assim como eu tive, você também tem força suficiente para encarar os problemas.

Fale sobre, escreva, conte para alguém de sua confiança, mas não carregue esse peso nas suas costas. Esse problema foi colocado na sua vida por outras pessoas, ele não é seu. Faça isso por você, pela sua vida e por amor ao que você é.

Eu curei essa dor falando sobre ela, a transformei em aprendizado, e hoje gosto de contá-la porque acredito que precisamos passar para a frente as nossas vivências. Ninguém vai apagar o nosso passado, então nem adianta tentar fazer isso. Em vez de escondê-lo, fale. Você vai ver como isso pode mudar a sua vida e como essa dor do passado pode se tornar a sua maior força interior.

Acredite, nada acontece por acaso, e aquilo em que não podemos passar uma borracha pode ser usado para o nosso crescimento.

POR QUE QUANDO É COMIGO É BULLYING E QUANDO EU FAÇO COM OS OUTROS É BRINCADEIRA?

Gostaria de ressaltar que, infelizmente, todos nós fazemos bullying. Se você é a autora ou um simples espectador, tanto faz. Presenciar algo e não fazer nada quanto a isso é cometer o mesmo erro da pessoa que está fazendo. Eu só fui me dar conta disso quando fui vítima do bullying. Pode ser que eu tenha feito com alguém e nem me lembre. Mas uma coisa de que tenho certeza é que não somos 100% nada. Nem bonzinhos, nem mauzinhos. Nós estamos aqui na Terra para nos transformar, e é por isso que viver com consciência é tão importante. Minha sugestão, antes de fazer uma brincadeira, mesmo que pareça inofensiva, com alguém, é se colocar no lugar da pessoa. Como você se sentiria se fizessem isso com você? Encararia isso como brincadeira ou se sentiria ofendido? Quando nos colocamos no lugar das pessoas, aprendemos a enxergar os limites.

Peça desculpas a quem você feriu, à pessoa contra quem você praticou bullying. Nosso maior valor não está em sermos perfeitos, e sim em reconhecer as nossas imperfeições.

CAP. 3

CAP. 4

CAP. 5

CAP. 6

CAP. 7

CONCLUSÃO

"Não pensava em amor-próprio enquanto aceitação, era algo distante para mim. Desde a época de escola, mascarava meus sentimentos e minhas atitudes em busca da aceitação externa. Acreditava que aquele recorte da vida era a vida em si, que aquele ambiente era o mundo. As máscaras me protegiam e, assim, eu era aceito por aquele pequeno pedaço do mundo que eu acreditava ser o mundo inteiro. Sobrevivi, mas aquele não era eu. Me olhava no espelho e não me reconhecia. Não era feliz, não me sentia bem em ser aquele eu mascarado, nada me proporcionava plenitude. Quando terminei o colégio, aquele ambiente que tanto me causava sofrimento e humilhação, descobri um mundo muito maior e mais tolerante. Era como abrir uma porta para a diversidade, descobrir a existência de pessoas diferentes e interessantes, com histórias que me fascinavam ainda mais do que a própria diferença entre nós. Aos poucos, conheci a verdadeira aceitação; não aquela que vinha dos outros para que eu pudesse me encaixar, mas aquela que vinha de mim e que me permitia estar feliz onde eu escolhesse estar. Fui aprendendo como ser eu mesmo, sem máscaras ou camadas que permitiam que os outros me aceitassem. Não posso dizer que é fácil, é um processo longo e cheio de grandes descobertas. Envolve deixar ir embora o que é falso e aceitar que o que era verdadeiro ontem, hoje não é mais. Entre muitos erros e acertos, descobri minhas qualidades, defeitos, forças, fraquezas, semelhanças e diferenças que permitiram que eu me amasse simplesmente por ser eu, por existir. Descobri minha sexualidade, conheci um amor verdadeiro, e todo dia ainda descubro novas características minhas. Tento não julgá-las como certas ou erradas, comuns ou incomuns, tanto faz, porque o conjunto delas forma quem eu sou, transforma e fortalece meu caráter e revela o que há de mais autêntico em mim – e eu as abraço, pois, afinal, aceitação é isso, não é?"

OLAVO LEITE, ADMINISTRADOR

CAP. 3

CAP. 4

CAP. 5

CAP. 6

CAP. 7

CONCLUSÃO

DICA DA PSICÓLOGA

Como os pais podem perceber que o filho está sendo vítima de bullying?

Entre os indícios, a criança:

1. Perde o interesse e não quer mais ir à escola.
2. Pode ter um quadro de febre, dores de barriga, náuseas e dor de cabeça frequente quando se aproxima a hora de ir para a escola.
3. Muda de comportamento e pode mostrar maior impulsividade, irritabilidade e chorar por coisas aparentemente irrelevantes.
4. Pode ter o rendimento escolar diminuído.
5. Pode apresentar comportamentos que revelam desvalorização.

Como ajudar:

1. Não desvalorizar o problema ou os sentimentos da criança, não dizer que isso é assim mesmo e que todos nós temos problemas.
2. Conversar de forma acolhedora, sem julgamentos.
3. Buscar devolver à criança sua força, escutando atentamente e incentivando-a a expressar seus sentimentos.
4. Conversar na escola.
5. Não deixar a criança lidar sozinha com o problema. Às vezes, quase sempre, ela não consegue dar conta sozinha. Ela precisa de uma rede de apoio: pais, professores e os bons amigos.

ENQUANTO LIGAR PARA A OPINIÃO DOS OUTROS, VOCÊ NÃO VAI CONSEGUIR TER AMOR-PRÓPRIO

Você coloca limites nas pessoas? Sabe dizer "não"? Tem medo de desapontar o outro e acaba se submetendo a situações que não te agradam? O primeiro passo para desenvolver seu amor-próprio é estabelecer limites. Ninguém está dizendo que você precisa ser uma pessoa egocêntrica e egoísta, mas precisa ficar claro para você que se amar também quer dizer estabelecer limites.

Imagine uma balança, daquelas antigas, em que o ponteiro precisa indicar um peso que seja saudável e ideal para você, que te dê saúde e bem-estar. Nem mais, nem menos. Se estiver muito abaixo do peso, podem estar faltando vitaminas e minerais, e você acabará adoecendo, ficando debilitada. Se estiver acima do peso, também pode comprometer o seu corpo e acabar colocando em risco a sua saúde. O nosso limite é também delineado dessa maneira, nem muito "sim", nem muito "não".

Mas existe uma regra para o limite? Não. Somos diferentes, temos famílias, valores e ideias diferentes. O "sim" para uma pessoa pode ser o "não" para outra. É por isso que tolerar as diferenças é tão importante. Não podemos exigir que todo mundo pense igual, mas o ser humano não é perito em travar um diálogo com discórdia; ou melhor, em conviver com quem discorda dele. Por isso, é mais fácil estabelecer uma relação com quem pensa igual do que enfrentar diferenças. Aprender a discordar também é sinal de aceitação do nosso limite. Quanto mais à vontade nos sentimos com o que somos, mais tranquilos ficamos em não agradar a todos.

Geralmente, as pessoas têm mais dificuldade em dizer um "não" do que em receber um "não". Nós suportamos

BUSCAR O NOSSO EQUILÍBRIO NOS DEIXA MAIS PRÓXIMOS DE QUEM SOMOS

pouco a ideia de não agradar o outro, e é por isso que muitas vezes é tão difícil nos impor. Carregamos uma espécie de culpa cultural, achamos que servir e concordar com o outro vai nos dar um selo de qualidade de melhor pessoa do mundo. Convenhamos, nós não queremos somente agradar o outro, mas também nos proteger e nos blindar da verdade, que não é nada hollywoodiana.

Mas se o nosso corpo, nosso tempo e nossa alma são tão sagrados, o que estamos fazendo quando não colocamos limites na nossa vida?

Se amar é cuidar dos seus limites, é prezar pela sua liberdade de escolha. Se a gente perde o autoconhecimento, perde também a autocrítica, e aí corre o risco de se tornar aquela pessoa que empurra a vida com a barriga e sente que sempre tem algo faltando. A sua blindagem é não se deixar ser o que os outros querem que você seja, e sim quem você realmente é.

SEXO PARA PERTENCER OU SER ACEITA

Quando falamos em sexo, principalmente sobre a mulher transar ou não com alguém, a questão de seguir um protocolo que a sociedade impõe também é frequente. O que os outros vão pensar se eu transar com essa pessoa no primeiro encontro? Será que eu posso casar virgem mesmo num mundo tão cheio de modernidades e opções? Quando dormir com alguém é aceitável?

Sim, mesmo com tantas tecnologias, acesso à informação, diálogos mais abertos, a questão do sexo está sempre dando seu alô!

As mulheres precisam ser livres, e eu sinto que a libertação sexual é extremamente importante. A real é que fazer sexo faz bem, é ótimo e não há nada de errado nisso. O que complica, muitas vezes, é a culpa que carregamos, o excesso de expectativa na pessoa errada e o medo da rejeição.

Seria errado dizer que o sexo não é nada de mais, eu defendo que é, sim, um momento íntimo de muita troca com a outra pessoa. Além do mais, temos a questão de doenças sexualmente transmissíveis e da gravidez precoce. Ou seja, o sexo precisa ser responsável.

Mas o ponto aqui é: o que é o sexo no primeiro encontro para você? Se o ato apenas significa mais uma forma de você conhecer mais a pessoa, então ótimo. Devemos ser livres e ter controle do nosso corpo. Mas se a sua cabeça já carrega a culpa, o medo da rejeição e todos aqueles poréns que fazem você se sentir mal assim que o babado acaba, daí já digo que talvez essa seja uma questão que precisa ser resolvida antes mesmo de você transar com alguém.

Então, veja, não é uma questão de certo e errado, de pode ou não pode, mas de buscar a verdade dentro de você. Se o sexo significa algo muito íntimo e você espera que um relacionamento se desenrole a partir de então, diria para você adquirir mais confiança antes. Quem sabe você se sinta mais à vontade e menos vulnerável se esperar o outro demonstrar que aquele território é mais seguro.

Se alguém faz pressão para você transar e aquele sentimento de medo de perder fulano(a) vem, pare e repense. Sexo não deve ser feito somente porque o outro deseja aquilo, você tem que desejar tanto quanto e estar ali presente. Não doamos o nosso corpo, precisamos aproveitar aquele momento também. O mundo machista prega essa história ultrapassada de a mulher servir, procriar etc. Mas já sabemos que quem tem o controle de nossa vida somos nós mesmas. Você transa se estiver a fim e com quem você estiver a fim. Esse papo de "se eu não transar, a pessoa vai me largar" (!!) ainda existe, por conta de uma cultura enraizada de que o corpo da mulher pertence aos olhos de quem apenas a deseja. Saia disso!

Faça sexo com a cabeça em paz, talvez aquela pessoa não seja o amor da sua vida, talvez vocês tenham uma história linda, quem sabe. Mas o importante em tudo isso é estar segura de si e essa segurança resultar num momento prazeroso, né, gente? Quando as meninas são mais novas, tomam um pouco mais de cuidado quanto ao assunto. Claro, a maturidade ainda está se desenvolvendo, os sentimentos são todos à flor da pele e é comum se iludir com facilidade. É muito importante conversar sobre sexo com os pré-adolescentes, porque é ali que a ideia do ato em si vai se formando. Sexo não é algo que deva dar medo ou ser feio; sexo precisa ser legal, uma experiência da vida.

Sempre que uma menina mais nova me pergunta quando se deve perder a virgindade, eu penso somente na questão do respeito. Como será que é esse relacionamento? Ela se sente pressionada porque as amigas já transaram e ela virou "a virgem do grupo"? Será que ela quer transar ou ela quer que o outro a enxergue como uma mulher? Esse tema daria um livro inteiro, com mil respostas, porque cada caso é um caso. Mas o meu ponto para todas as pessoas que conheço é: não se coloque em um lugar que você não queira ou de que não tenha certeza. A certeza não é uma garantia de relacionamento, até porque você pode transar e não sentir química alguma ali com aquela pessoa. A certeza de que falo é a segurança de querer estar ali com aquela pessoa.

Embora algumas pessoas achem que o moderno é transar e depois contar tudo o que fez e com quem fez. Se o caso é fazer parte de um grupo, saiba que sexo não precisa ser contado; esqueça esse papo de que você vai pertencer se abrir a sua intimidade. Você só estará expondo uma parte da vida que não diz respeito a ninguém além de você mesma.

Eu acredito que o ponto é bem mais profundo e importante: seja

CAP. 3

CAP. 4

CAP. 5

CAP. 6

CAP. 7

CONCLUSÃO

Responda com honestidade. A ideia aqui é saber o que você faz por você mesma, por um gosto seu, sem se preocupar em agradar os outros.

	SIM	NÃO
Estuda o que gosta?	☐	☐
Trabalha com o que gosta?	☐	☐
Viaja sozinha?	☐	☐
Sai com amigos?	☐	☐
Trabalha seu lado espiritual?	☐	☐
Tira um dia para fazer algo que adora?	☐	☐
Pratica atividade física com regularidade?	☐	☐
Assiste a filmes ou séries sozinha?	☐	☐
Cuida da sua vaidade?	☐	☐
Se acha interessante?	☐	☐

Reflita sobre quantas vezes respondeu SIM ou NÃO. Às vezes só percebemos como estamos desenhando a nossa vida quando paramos para observá-la. O que você tem feito por si mesma? Será que reclama do caminho que tomou, mas, ao mesmo tempo, não se mexe para mudar esse trajeto? As rédeas da sua vida estão nas suas mãos ou são reféns do medo de mudar? Agora, coloque mais coisas no seu dia a dia que te façam bem e que tenham a ver com o que você é!

livre para dizer "sim" ou "não", escolha com calma seus parceiros e entenda que quem te pressiona já dá sinais de egoísmo e falta de sensibilidade. Cada um no seu tempo e à sua maneira.

Ah! E não se esqueça da fase da conquista; não existe nada mais legal do que duas pessoas com vontade de conhecer mais à outra, sem pressa e com segurança.

CAP. 3

CAP. 4

CAP. 5

CAP. 6

CAP. 7

CONCLUSÃO

CAPÍTULO 4

Em busca da real beleza

Você já tentou se encaixar loucamente naquele padrão estampado nas revistas, nos Instagrams bombados, nos desfiles de lingerie cinematográficos?

Eu também.

Você já se perguntou por que não nasceu com o corpo da maior modelo do mundo nem com o nariz perfeito da fulana?

Eu também.

Você já se pegou criticando seu corpo da cabeça aos pés em frente ao espelho depois do banho?

Eu também.

Você já fez alguma cirurgia plástica achando que depois dela a sua vida seria perfeita?

Eu também.

Você já fez a dieta do abacaxi? Dos sucos? Já cortou todos os tipos de alimentos para entrar naquela calça precursora das varizes de tão justa?

Por aqui também!

Se existe uma coisa que mexe com a nossa autoestima é a aparência, principalmente para nós, mulheres, que desde cedo colocamos na cabeça que precisamos ser bonitas, magras. Ô pensamento triste esse, não? Estamos sempre tentando nos encaixar nos padrões, sejam eles impostos pela moda, pelas décadas, pelas revistas, pelas redes sociais ou por nós mesmas.

"Fazer o papel da Carola na novela *O profeta* foi muito desafiador, porque precisei ficar 7 quilos acima do meu peso por quase um ano. Por causa do meu trabalho, abri mão da minha vaidade. O mais incrível durante esse processo foi que, depois de três meses de novela, eu me sentia feliz comigo mesma, com o meu corpo. Me olhava no espelho e me sentia muito bem, mesmo estando 'fora do padrão' que as pessoas exigem da gente. Eu amava meu corpo e o trabalho que estava fazendo. Essa foi uma fase em que me senti feliz comigo mesma. Descobri que, se eu tivesse saúde e um trabalho que me fizesse bem, pouco importaria o número da minha calça e o peso que a balança mostrava. Não vou dizer que sair do padrão de magreza foi algo fácil, não quero ser hipócrita. Mas aprendi a ter compaixão, a me olhar no espelho e não apontar as diferenças do meu corpo, a ver com mais amor as minhas novas curvas. Os elogios das pessoas sobre eu ir contra essa maré de padrão estético também foram muito importantes e bonitos de ver. Tudo tem seu lado positivo e negativo. Nessa época foi importante aprender a olhar o copo meio cheio. É lindo se amar, mas se amar mesmo quando você está diferente do que costuma ser é incrível. Diria que meu amor-próprio veio quando aprendi a ter carinho e compaixão comigo mesma em todos os momentos da vida."

FERNANDA SOUZA, ATRIZ E APRESENTADORA

Um dia estava conversando com uma amiga sobre aparência e, em 15 minutos, descrevemos todos os nossos "defeitos", sem nos dar ao menos a chance de nos elogiar um pouco. De repente, me dei conta de que estávamos loucas. Sim. Estávamos procurando pelo em ovo e criticando o nosso corpo como se ele fosse um simples pedaço de carne com valor somente estético. Voltei para casa pensando nisso, em como enchemos a nossa cabeça com padrões altamente nocivos à nossa autoestima e ao nosso amor-próprio, em como abrimos mão da nossa essência para nos encaixar nos padrões estabelecidos pela sociedade.

É normal haver partes do nosso corpo que a gente queira mudar. Acho que ninguém é 100% satisfeito; o perigo é quando a gente não consegue ver nada de bom. A gente se olha no espelho e só vê "defeitos", parece que a gente não tem nenhuma qualidade.

Como já falei aqui, tive problemas graves com a minha aparência. Quando nasci, puxei o DNA do meu pai, o que me fez travar uma briga eterna com o meu nariz. Talvez quem olhe de fora pense: "Como é que um nariz pode deixar uma pessoa com baixa autoestima?". Parece algo exagerado, não? Mas só quem vive com algum desconforto com a aparência sabe do que estou falando. Não era algo que dava para cobrir ou disfarçar com roupa. Ele estava lá, no meio do meu rosto. Era meu cartão de visita e a única coisa que eu enxergava quando me olhava no espelho. E não era só eu que via, não, os outros também não me deixavam esquecer disso. No meu caso, era meu nariz que me deixava insegura e com vergonha, mas poderia ser o cabelo, a boca, a orelha, a altura. Cada um tem seu calcanhar de aquiles.

O que eu não percebia na época era que minha briga com meus atributos físicos era muito maior do que um osso no meio do rosto. Parte da minha insatisfação com a minha aparência vinha da minha insegurança. Eu era uma pessoa insegura. Não sei exatamente quando fiquei assim, só sei que era insegura desde que me dei conta de que era gente. Nunca me achei bonita e sempre me comparei com os outros. Embora tenha sido criada com amor, por uma mãe psicóloga, o que enriquecia muito minha vivência, e com acesso à informação, a visão que eu tinha de mim mesma era bem distorcida. Estava sempre aquém das expectativas que criava para mim mesma na minha cabeça. Na minha visão, em casa, todos eram cisnes e eu, o patinho feio. Clichê ou não, era assim que me sentia, e isso acabou me custando muito caro.

Sim, fui uma pré-adolescente vidrada em aparência e uma adolescente louca por parecer algo que não era, como já falamos. Quando somos – muito – jovens, uma imagem vale mais do que todas as palavras presentes na boca dos pais, dos médicos, dos bons amigos e das pessoas com um juízo bem mais apurado. Eu queria ser perfeita e repetia isso para mim todos os dias. O que não sabia era que o meu padrão de perfeição era inatingível, pois eu praticamente queria ser outra pessoa.

Como, aos 14 anos, eu iria refletir profundamente e entender que aquele meu desejo não passava de uma ilusão imposta por pessoas que julgam a aparência como sendo tudo nesta vida? Pois é, eu não refletia. Tudo o que eu queria era ser perfeita.

Antes que alguém diga "mas você não tem do que se queixar, você é bonita, tem saúde", é importante dizer que a insatisfação com a aparência não é algo que escolhemos ter, é uma doença psíquica que precisa ser tratada.

Então, aos 15, insisti em fazer uma plástica no nariz. Meus pais diziam que eu não precisava, que era linda e que meu nariz tinha a minha personalidade. Na época, eu era muito rebelde, pouco madura e muito insatisfeita com ele. Tinha certeza de que, quando me tornasse uma pessoa bonita, seria feliz – e isso dependia diretamente do meu nariz. Resultado? Implorei para os meus pais, pedi, supliquei, até que aconteceu. Fiz a plástica. Adorei. Melhorei da paranoia. Me olhava no espelho e me sentia melhor, aliviada talvez. O apelido de PSDB ficou para trás. Mas quem disse que eu fiquei satisfeita comigo mesma? Assim que meu nariz ficou devidamente "retocado", arrumei outro problema: meus peitos, que eram pequenos em comparação com os das minhas amigas que tinham colocado silicone (e com os que apareciam nas revistas, óbvio). Então, com 20 anos,

coloquei meu primeiro implante de silicone. Mas aí comecei a me achar gorda e me enfiei em todo tipo de dieta e ginástica que entrava na moda.

O círculo era vicioso. Quanto mais defeitos procurava, mais achava. Ou pensava que achava. Afinal, tudo isso era coisa da minha cabeça. Eu tinha uma visão distorcida da minha imagem. Enquanto eu não cuidasse da minha mente, nunca veria meu corpo como algo bonito e passaria a vida reclamando e tentando mudá-lo. Como acontece com muita gente, demorei MUITO para enxergar onde estava o real problema.

E, com essas insatisfações com a minha aparência, fui, sem querer querendo, ficando uma pessoa superficial,

PARA NÃO ESQUECER

Corpo e mente = um só

A nossa aparência vem muito de como estamos por dentro, de como a nossa cabeça está. É por isso que a preocupação em estar bem começa pela saúde, tanto a física quanto a psicológica.

muito focada na minha imagem; colocava a beleza sempre em primeiro lugar. Achava que ou eu ficava bonita ou seria infeliz. Prisão. O que eu não sabia era que o tal do bonito para mim, aquilo que eu almejava ser, estava absolutamente fora da minha estrutura óssea e do meu DNA. Para mim, o mais ou menos não servia, meus padrões eram altos demais. Eu era muito jovem, nem sabia direito o que estava buscando, mas a insatisfação com a minha imagem era atordoante. Eu não era capaz de enxergar nada de bom na minha aparência. E tinha coisas boas; todo mundo tem. A gente só precisar descobrir qual é o nosso ponto forte.

Namore alguém
Que seja do bem.
Que não roube a sua essência.
Que sinta falta na sua ausência.
Namore alguém com quem você tenha liberdade
De ser quem você é.
Sem se prender à vaidade.
Namore com respeito
Porque sem não tem jeito.
Namore porque ama
Não porque o status do Facebook chama.
Ah!
Namore com você mesma
Esse amor, você nunca pode perder.

Para piorar ainda mais a minha situação, tive relacionamentos amorosos que não trabalhavam a favor da minha cura. Me envolvi com pessoas que se deliciavam com essa minha fraqueza de me achar pouca coisa e que tripudiavam sobre mim. Talvez achassem que, se eu continuasse me sentindo tão mal, tão feia, tão cheia de defeitos, nunca terminaria com elas e seria escrava daquele relacionamento. Derrubar a minha autoestima era um jeito de me ter sempre por perto – e sob o seu domínio.

NÃO RESUMA A SUA VIDA A UMA PARTE DO SEU CORPO

Não posso ser hipócrita e dizer que mexer no meu nariz não me trouxe uma sensação maior de satisfação com aquela parte específica do meu rosto; trouxe, sim, e fui feliz no processo. Mas a plástica estava longe de ser a minha cura.

Aliás, a questão da plástica é algo de que precisamos falar. Plásticas custam MUITO caro, têm um risco cirúrgico e ainda podem não atender às suas expectativas. Além disso, uma plástica pode ter efeito contrário e te deprimir ainda mais caso não se sinta "curada" após uma intervenção grande e dolorida.

Antes de pensar em cirurgia plástica, vale se perguntar honestamente o porquê de querer se submeter a um procedimento desses. Será que você não está colocando todas aquelas questões que precisam ser resolvidas na ponta do bisturi? Como se ele pudesse resolver tudo por você?

Não é justo depositar a expectativa de uma nova vida em uma mudança em uma parte do seu corpo. Eu achava que fazendo uma cirurgia e mexendo naquilo de que eu não gostava iria mudar tudo na minha vida. A questão é que, quando você coloca a resolução dos seus problemas num procedimento estético, algo está fora do eixo.

Eu estava fora do eixo, e por isso recorri à minha sagrada terapia. Eu chamo de sagrada e enalteço bastante esse ponto da minha vida porque foi na terapia que aprendi a falar. A plástica levantou minha autoestima, mas falar, sim, foi meu verdadeiro processo de cura.

SE CURAR É ENCONTRAR A SUA ESSÊNCIA

Não sei se você já testou falar em voz alta sobre seus problemas, mas para mim foi o processo mais forte de cura. Viver com a cabeça produzindo silenciosamente pensamentos ruins pode gerar uma ansiedade tão grande que passamos a achar que nada terá solução. Aliás, quanto mais pensamos, mais produzimos novos pensamentos e maior fica o buraco em que nos enfiamos. Entrar na terapia e falar dos pensamentos mais profundos e obscuros que tinha a meu respeito foi libertador. Só de dizer claramente o que estava passando pela minha cabeça já era uma forma de começar a quebrar esse tipo de pensamento. É como se falar sobre eles diminuísse o peso que tinham. O processo é longo e demanda ação. Precisamos falar, colocar para fora e, para isso, necessitamos também de uma bela coragem. Eu tinha um terapeuta que não julgava uma vírgula do que eu dizia. Ele me ouvia e entendia que eu estava presa em um vício de não gostar de mim e precisava me libertar. Ele teve empatia com a minha história e percebia que aquele era o momento de descarregar tudo o que vinha me corroendo havia anos.

Se me perguntassem hoje onde investir dinheiro, eu responderia: em qualquer lugar que faça a gente evoluir, melhorar. Não existe melhor "plástica" do que ser ouvido, e não existe melhor limpeza do que dizer o que sente de verdade. Aos poucos, fui quebrando a minha casca, liberando partes daqueles pensamentos e enxergando quem eu era de verdade. Eu não queria mais ser perfeita, e as críticas aos atributos físicos deram lugar a um profundo autoconhecimento. Falar faz parte do processo de cura. Não adianta querer ler mil livros e assistir a filmes de autoajuda se não colocarmos para fora o que realmente se passa dentro de nós. É preciso curar com a verdade, com a voz e com uma superimersão nos problemas – eles estão lá, mas não são maiores do que você. E sabe de uma coisa? Só você poderá resolvê-los. É preciso ação para ter uma reação. A partir desse movimento de quebrar a casca, fui me reencontrando. Modifiquei meu trajeto de vida e aos poucos isso se refletiu no meu trabalho e nos meus relacionamentos. A vida começou a ser muito mais leve e boa para mim.

Outro momento bem legal na minha vida, em que desapeguei – bastante – de querer ser perfeita, foi quando comecei a fazer vídeos no Instagram sobre a vida real, sobre ser mulher etc. O Instagram ainda tinha somente 15 segundos de vídeo e eu aproveitei para criar esquetes de humor. Eu não gravava e editava depois, criava o roteiro ali na hora e fazia quase ao vivo. O conteúdo foi tão bem-aceito que a minha cara, muitas vezes, era lavada. (Lavada, mas com a ajudinha de um filtro, vai.) Engraçado foi que ninguém comentava sobre a minha aparência, as pessoas estavam interessadas no conteúdo, e a cara lavada até ganhava a simpatia de quem estava vendo. Era como se elas se reconhecessem ali, como uma pessoa normal. Comecei a me libertar mais das paranoias de beleza e entendi que o meu ponto forte estava no BOM humor. Então resolvi que não viveria mais obcecada pela minha imagem. Eu seria eu mesma. Por isso, às vezes estou toda trabalhada na massa corrida e às vezes estou jogada no sofá, de moletom e cabelo oleoso. Essa sou eu. Minha vida é assim. Descobri que não sou perfeita e nunca serei. Ainda vejo em mim coisas de que não gosto, claro, mas procuro focar as que adoro, procuro enaltecê-las nos meus pensamentos e nas minhas ações do dia a dia. Sou feliz, mas tenho momentos tristes, tenho dúvidas, angústias, mas isso não define quem eu sou, e sim o que estou vivendo naquele momento.

A verdade cura e a nossa voz tem muita força. Não tenha medo dos seus medos, eles são produzidos por você e só você pode excluí-los da sua vida.

OS PERIGOS DA BUSCA PELA PERFEIÇÃO

Impressionante como a nossa mente está ligada ao nosso corpo e vice-versa. Um simples pensamento negativo ou uma semana estressante pode nos provocar dores de cabeça reais. Por outro lado, um fim de semana relaxante na praia pode reduzir os níveis de cortisol no nosso sangue, causando bem-estar e sono em dia. Então, imagine o que acontece com o nosso corpo quando entramos em uma paranoia com comida, aparência e necessidade de se encaixar em um padrão?

Se a preocupação com a aparência sair do controle, ela pode virar uma obsessão e, o que é pior, acarretar o surgimento de distúrbios, inclusive alimentares, como anorexia, bulimia e compulsão alimentar.

Os distúrbios alimentares são iniciados, na maioria das vezes, na adolescência, perto dos 17 anos. Em alguns casos, esses distúrbios podem começar ainda mais cedo, atrapalhando o crescimento e o desenvolvimento do corpo e da mente. Nessa fase da vida, ainda não sabemos muito bem o que somos e o que queremos, por isso somos muito influenciados por aquilo que está ao nosso redor.

O distúrbio começa silenciosamente. Você é impactada pela perfeição ditada em tudo aquilo que é reconhecido como inspiracional. Depois, começa a se comparar e se colocar para baixo e, então, a adoecer.

Alguns dados para ficar claro que o assunto é sério:

- ♥ 70 milhões de pessoas no mundo sofrem de algum distúrbio alimentar.[1]
- ♥ As mulheres representam 90% das pessoas com bulimia.[2]
- ♥ A quantidade de mortes relacionadas à anorexia entre mulheres de 15 a 24 anos no mundo é 12 vezes maior do que as relacionadas a qualquer outra causa nessa faixa etária.[3]
- ♥ A anorexia nervosa é a doença psiquiátrica que mais mata no mundo.
- ♥ Estima-se que, ao longo da vida, entre 0,5% e 4% das mulheres terão anorexia nervosa; de 1% a 4,2%, bulimia nervosa; e 2,5%, compulsão alimentar.[4]
- ♥ Quadros mais leves, que não preenchem todos os critérios para a doença mas que apontam uma profunda insatisfação com o corpo – como busca incessante de dietas e cirurgias plásticas, eventuais usos de recursos extremos para emagrecer (vomitar, usar laxante, diuréticos, moderadores de apetite e a prática compulsiva de exercício físico) –, podem atingir 15% das mulheres.[5]

---

[1] Estimativa do Instituto Nacional de Saúde Mental dos Estados Unidos (NIMH, na sigla em inglês).
[2] Pesquisa publicada pela *American Journal of Psychiatry*.
[3] Centro Nacional de Informações sobre Transtornos Alimentares do Canadá (Nedic, na sigla em inglês).
[4,5] Programa de Transtornos Alimentares do HCFMUSP (Ambulim).

Meu distúrbio só não foi adiante porque comecei a fazer terapia com 15 anos e consegui me salvar do pior. Mas posso dizer que, durante o tempo que sofri com ele, eu era muito cruel comigo mesma e odiava o que via no espelho. Fazia aquelas dietas loucas, ficava sem comer, depois comia desesperadamente e queria vomitar tudo. A cobrança com meu corpo era grande, e aquilo me perseguiu por muito tempo.

Conversando com algumas amigas, descobri que quase todas tiveram algum tipo de distúrbio alimentar ou distorção da própria imagem. Seja na compulsão ou na recusa a comer, quase todas tiveram uma relação difícil com o corpo, e algumas ainda têm.

Normalmente, quem sofre desses distúrbios nega, não se vê como um caso grave, que precisa de ajuda. Se você está sofrendo desses transtornos, ou conhece alguém que esteja, procure ajuda imediatamente. Existem tratamentos eficazes para esses transtornos, que podem trazer de volta a saúde física e psicológica de que todas nós precisamos.

"Venci uma doença invisível que por muitos é tachada como frescura ou apenas futilidade. Bulimia e anorexia são transtornos sérios, mas que podem ser confundidos com vaidade, porque não sangram. Consciência e informação são passos cruciais para entender esses distúrbios. Compreendendo e querendo vencer, o ganho é inestimável: respeito por si mesma(o) e pelos outros e, na sequência, uma generosidade incrível abre caminho para o amor-próprio.

Minha doença não se desenvolveu por uma questão estética, ela advém de um trauma. Não me tornei bulímica porque queria eliminar peso, nem porque precisava entrar num jeans 36. Ela aconteceu antes que eu pudesse me preocupar com o ponteiro da balança ou com o tamanho da minha calça.

Transtornos alimentares podem ou não estar relacionados a

emagrecimento. No meu caso, não passei por um processo de buscar o emagrecimento, era mais que isso, era uma doença.

Sem saúde não tem como emagrecer ou conquistar boa forma. Um corpo bonito precisa estar sadio, ter nutrientes, energia, viço, disposição. Sem os nutrientes dos alimentos, não temos como nos exercitar. Sem nos exercitar, paralisamos e nos entregamos ao sedentarismo. Na busca por um corpo bonito e saudável, é preciso uma mudança de mentalidade. E, sim, as coisas mudaram. Fechar a boca para emagrecer é pragmatismo torto da década de 1980, quando a indústria alimentícia exalava açúcar por todos os poros. Parar de comer não é a melhor prática. Vomitar comida também não.

Ao longo da vida, não sei dizer quantos quilos exatamente ganhei ou eliminei. Isso não importa mais. Foram quase três décadas trabalhando a cabeça para chegar aqui e concluir que maltratar o corpo com comida (por excesso ou por se privar dela) não vale a pena. A vida é absurdamente dinâmica para definir nosso peso pra sempre. Essa lógica é ilusória e engana a gente. Em contrapartida, somos seres finitos demais para viver um milhão de possibilidades. E é por isso que no mundo tem tanta gente vivendo vidas tão diferentes das nossas.

Nós existimos um na vida do outro para trocar o que aprendemos, para alcançar uma sabedoria maior. E é por isso que aceitei contar minha história, para que o final feliz dela sirva de inspiração e mostre que dietas malucas e a corrida para ser magra(o) a qualquer custo é muito superficial perto do respeito e da generosidade que você pode ter consigo mesma(o).

O mais importante da vida é a própria vida. Se eu não tivesse tido a oportunidade de conhecer de verdade o meu amor-próprio, eu não saberia de nada disso."

MELISSA BRITO, PUBLICITÁRIA

AUTOIMAGEM: O QUE VOCÊ VÊ NO ESPELHO

Quando uma pessoa não consegue enxergar qualidades em si mesma, ganha de brinde, além de tudo, uma visão errada de si mesma. A autocrítica está ali, todos os dias, estressando o corpo, a mente e, consequentemente, distorcendo sua imagem. A pessoa pode acabar pensando que vomitar o que comeu não vai fazer tão mal, afinal vai deixá-la magra, e isso é o que importa. Ou então pensa que comer vai deixá-la com uma silhueta feia, diferente daquelas que ela tem como modelo, e pronto: para de comer. Ou a raiva e a angústia por não se gostar são tão grandes que desconta tudo na comida e come compulsivamente (e depois vomita tudo para continuar magra). Existem muitas razões pelas quais as pessoas desenvolvem esses tipos de problema, e o que eu gostaria de dizer é que todos eles precisam ser tratados. Ser magro não é ser feliz. Ser magro não é sinônimo de saúde nem de perfeição.

Não posso ser hipócrita e dizer que não ligo para o meu corpo, mas hoje posso dizer que o meu foco é a minha saúde, e não o padrão em que meu corpo precisa se encaixar. Quero ter um exame de sangue magnífico, um sistema imunológico forte, um intestino que funcione bem. Eu quero viver feliz por dentro, porque isso se reflete por fora.

Mesmo tendo feito anos de terapia, teve um momento na minha vida em que tive uma recaída. Anos atrás eu estava passando por uma fase muito conturbada. Não sabia o que fazer da minha vida profissional e, no amor, só escolhia aquilo que não era legal. Resultado? Parei de comer, não porque me forcei a parar, mas porque estava triste, não tinha apetite. Fui deprimindo meu sistema imunológico e deixei de lado a minha saúde psicológica e física. Fumava muito, em jejum, antes de dormir; o cigarro era uma grande fuga e um máster inibidor de apetite. Parei de fumar. Há quase quatro anos não sei o que é destruir a minha saúde com um cigarro. Um belo dia, senti uma dor horrorosa no baixo-ventre, parecia cólica com dor de barriga. Ela começou suportável e foi piorando com o passar dos dias. Nessa hora, eu já havia contatado meus pais e meu médico, mas os remédios não adiantavam. Se eu tomasse um gole de água, a dor já vinha de maneira inexplicável. Meu médico suspeitava de uma infecção intestinal, e, como não melhorava, acabei indo para o hospital e lá fiquei por umas 12 horas, fazendo todos os exames para descobrir o que eu tinha. No final do dia, o diagnóstico: retocolite ulcerativa. Em termos simples: úlcera no intestino. Tem noção? Eu tinha vinte e poucos anos e havia desenvolvido úlceras no intestino. No plural, porque eram várias. Meu médico ficou perplexo. Como uma mulher jovem havia chegado a tal ponto? Tive que ficar internada por dez dias, tomei remédios na veia, morfina e tudo o que você pode imaginar, porque a dor era gritante.

Meu médico, mais sensível do que eu naquela época, quis sentar comigo e conversar. Ele sabia que eu estava com um problema fisiológico, mas queria saber de onde vinha tudo aquilo. Minha mãe e meu pai sabiam da fase difícil pela qual estava passando e o alertaram de que aquilo poderia ser resultado de uma baita infelicidade dentro de mim. Foi aí que a ficha caiu. Eu havia adoecido porque a minha cabeça estava doente. Eu estava triste, frustrada. Parecia que todo mundo era feliz, menos eu. Não estava bem com minhas escolhas, me sentia perdida e ainda me achava fora de todos aqueles padrões impostos por sei lá quem. Eu havia namorado caras machistas que me diziam como eu tinha que ser e que o que eu era não era bom. Eu trabalhava no meio da moda, que era muito exigente com a aparência. Eu me cobrava tanto, mas tanto, que fiquei doente.

A colite ulcerativa não é uma doença de jovem, pelo menos não deveria ser. E ainda dizem que o nosso intestino é o segundo cérebro. Se um cérebro já estava ruim, o outro também não estava legal.

Me tratei, emagreci 8 quilos, fiquei com um cabeção e um minicorpo. Cheguei a pesar 44 quilos. Horrível. Entrei novamente na terapia e fui tratar de me cuidar de verdade. Precisava descobrir o motivo de tanta insatisfação. Por que eu não me gostava? Tudo bem, eu não precisava amar absolutamente tudo em mim, mas odiar o meu corpo e quem eu era não estava certo. Quando me vi no hospital, doente, entendi que o caminho não era aquele. Nenhum cara poderia me deixar daquele jeito, nenhum trabalho poderia fazer aquilo comigo e nenhuma imagem de uma modelo magra poderia me colocar naquela situação. Eu precisava resgatar meu amor-próprio, minha satisfação em ser eu mesma.

Sorte a minha de ter feito terapia com um cara tão legal quanto o dr. Jacques Stifelman. Sou grata, muito grata, a ele. Me lembro de ele dizer que quando dá merda – literalmente – no nosso corpo, é porque a cabeça não está legal. Mergulhei em mim mesma, na terapia, no porquê daquela infelicidade. Entendi que estava na fossa, mas era uma fossa comigo mesma, com a minha vida.

Não teve um clique de quando comecei a me gostar, acho que esse é um processo que vai acontecendo à medida que vamos nos aprofundando. Eu queria sair daquela situação e então me tirei dela. Foi rápido? Não sei o que é rápido para você. Eu não me apeguei ao tempo, só fui aprendendo a me tratar bem, a diminuir a crueldade dos meus pensamentos e a desenvolver certa compaixão por mim mesma. Entendi que nunca seria perfeita e que o perfeito era chato, porque, na hora em que ele é "atingido", surgem outras dificuldades, e aí você tem que continuar lutando. Ou seja, ele não existe. Não queria mais ser aquela pessoa que vivia reclamando de si, eu queria ser mais alegre, mais leve, viver melhor.

Foi o que fiz. Hoje, me considero mais atenta. Quando pensamentos ultraperfeccionistas que beiram a autodepreciação chegam, já entendo que é hora de cortá-los. Aprendi a controlar o excesso, até porque todo excesso esconde uma falta. Li isso uma vez e amei.

Não quero ser a mais bonita, nem a mais magra. Quero ser boa para mim, me sentir bem no meu corpo, gostar da minha vida e ser eu mesma. Tenho problemas, sofro decepções, mas isso não é quem eu sou. Afinal, não somos as pedras no caminho. Somos o que fazemos com elas.

Depois desse processo solitário e muito rico em aprendizado, conheci o meu marido. Não acredito em coincidências. Pela primeira vez na vida, não achei que tinha que mudar por alguém e não coloquei "estar em um relacionamento" como meta de vida. Gostava cada dia mais de quem eu era e isso só somou para que esse relacionamento desse certo. Eu estava bem comigo, estava tranquila. Foi aí que entendi que poderia ter uma relação legal na vida, algo que me fizesse bem. Acabei me livrando dessa carga de alcançar o corpo perfeito, de relacionamentos tóxicos e da ideia de magreza excessiva que tinha na cabeça. Parecia que o processo todo e aquela doença faziam total sentido agora. Passar por aquilo havia me deixado melhor, mais leve e com muito mais amor-próprio. A mudança é visível. Mudei o meu jeito de ver as coisas. Até fiz um grande esforço, o maior da minha vida – sem exagero –, que foi parar de fumar. Eu estava fumando um maço por dia. Resolvi largar o vício de um dia para o outro e aceitei os quilinhos a mais que essa decisão muitas vezes traz.

Não me sinto mais ameaçada por um corpo lindo; inclusive, adoro elogiar e admirar pessoas lindas, legais, inteligentes. Minhas inseguranças melhoraram significativamente. Enfim me livrei daquele peso de querer ser algo que não era. Adoro me sentir bem, gosto de cuidar de mim, sou vaidosa, mas não faço isso para parecer alguém. Faço isso porque me divirto me cuidando, me sinto feliz, e é isso que importa. Quero ser o melhor de mim, mas que isso comece primeiro na minha saúde.

Contei essa história porque sei quão fácil é dizer: se ame, se goste. Mas é difícil colocar o amor-próprio em prática quando estamos com um problema grande. Precisamos investigar a causa do que nos coloca para baixo, prestar atenção em nós mesmas. Gastamos dinheiro com roupa nova, na balada, mas nos recusamos a fazer uma terapia, coaching, ajuda espiritual, algo que trate a nossa mente. As ferramentas para nos descobrirmos, nos aceitarmos, está ao nosso alcance. Precisamos apenas criar coragem para encarar aquilo que nos incomoda.

Quando olhar uma capa de revista, pondere. Aquela imagem é construída, ela não representa o real nem significa que você só será feliz quando se parecer com aquilo. Existem outros valores bem mais importantes

na vida. A felicidade não tem padrão. Ela não se encaixa a tudo, não tem regras. Ela é aquilo que você sente que se encaixa bem a você, e esse sentimento é único e seu.

Posso dizer que me encaixava nos 15% de mulheres que têm distúrbios mais moderados; eu não tive um emagrecimento excessivo – a não ser quando fiquei doente –, e não tive anorexia nem bulimia. Mas eu distorcia o que via no espelho e tentava de todo jeito mudar a minha aparência. São tantas mulheres que vivem isso, tanto sofrimento por causa de um corpo idealizado. Precisamos ir contra essa corrente, nos ajudar, ajudar a amiga, a irmã, a mãe, quem quer que seja. Existem grupos de apoio, terapia, médicos que tratam isso. Não deixe que o problema fique sem solução, ajude quem precisa.

Hoje fico feliz ao ver que estamos com mais consciência e que paramos para pensar mais quando falamos. Mas ainda precisamos trabalhar o amor, por nós, pelo outro. Precisamos parar de julgar o peso, a bunda, a celulite. Resumimos as mulheres a peito, bunda, cabelo, barriga... e o resto? Ah, quem precisa do resto, não é mesmo? NÃO! Comece a batalha de parar com ju.gamentos com você mesma. Se trate para conseguir ajudar outras pessoas. Precisamos de mais compaixão, mais aceitação e mais amor pelo que somos. O único padrão que deveríamos querer ver refletido no espelho é o da nossa imagem com saúde e pronto.

DESMISTIFICANDO A BELEZA

Algumas revistas estão nesse movimento de desmistificar a beleza, mas, na minha opinião, ainda temos muito chão pela frente. Por mais que as diversidades sejam mostradas, a questão do belo é ainda reduzida a estar magra e dentro dos padrões considerados perfeitos. Quantas vezes você viu uma mulher com dobrinhas estampando a capa de uma revista de beleza? Acho que dá para contar nos dedos. Essas mulheres são mostradas na capa sempre como pessoas fora do padrão, você consegue entender que existe o movimento de alguns veículos de mostrar a beleza mais real, mas ela sempre vem acompanhada de certos dizeres, como se essas pessoas ainda estivessem fora do que é o padrão ou como se fossem supercorajosas de expor seu corpo. É como se estivessem apenas mostrando algo de diferente, e então voltamos para a estaca zero, pessoas com dobrinhas seguem na posição de diferentes. Ainda estamos focadas nas mulheres magras, ainda achamos que ouvir um "tá magra! Tá linda!" é o maior elogio que podemos receber. Nós também fazemos esses elogios às pessoas sem nem pensar no que estamos falando. São vícios que precisam de conscientização e tempo para mudarem.

A beleza não deve definir quem você é nem o seu lugar no mundo.

A beleza pode ser apreciada, assim como a bondade, a generosidade, a inteligência emocional, a inteligência em relação a números, e por aí vai. Nós podemos ter muitas qualidades, e elas não são somente físicas.

Conheço pessoas lindas, mas que são somente lindas. Porque a beleza foi tão enaltecida durante a sua vida que, provavelmente, a pessoa achou que só precisava disso. Logo, não precisou se aprofundar em outras questões e se contentou em ser um rostinho bonito.

Não vejo problema em admirar a beleza de alguém, aliás, o belo atrai, é gostoso de ver. Mas precisamos aprender a admirar outras formas de beleza. Sair dessa história de que ser belo é ter altura, peso e traços assim ou assado. De que adianta ser belo e não aprender a amar, a ser generoso, a ver a beleza onde ela não é tão óbvia, a ajudar o próximo, a ter compaixão, a fazer coisas na vida que façam diferença de verdade? Precisamos reconhecer outros tipos de beleza.

Para mim, a beleza vem de dentro. Clichezão, mas é verdade. Foram anos de treino, anos resolvendo a questão do nariz, da plástica, para enfim entender que cada pessoa tem o seu valor. Você não pode se contentar com um corpo escultural, nem com cabelos dos sonhos, nem com uma altura de supermodel. Não é isso que vai definir quem você é, e, se alguém te disser o contrário, não acredite.

> **PARA NÃO ESQUECER**
>
> É importante formar uma boa imagem de nós mesmas, assim, não deixamos que os outros decidam se somos boas o suficiente. É uma mistura de autoestima, amor-próprio, autoconfiança e autoconhecimento. Eu chamo isso de "combo aceitação".
>
> ♥ autoestima
> ♥ amor-próprio
> ♥ autoconfiança
> ♥ autoconhecimento

APARÊNCIA NAS REDES SOCIAIS

Eu A-DO-RO as redes sociais, trabalho e me divirto com elas, mas, de certa forma, agradeço por não terem existido na minha adolescência, ou o estrago teria sido muito maior. Hoje, vejo meninas que passam pelo mesmo que passei 15 anos atrás e sinto que para elas é até pior do que foi para mim, por estarem bem mais expostas não só às imagens da "perfeição", como também ao julgamento dos outros, caso não estejam "nos padrões".

Seria hipócrita da minha parte dizer que ninguém gosta de aplausos ou elogios nas redes sociais. Claro que é legal, mostra reconhecimento, principalmente para pessoas que trabalham com esse meio. Mas isso não quer dizer que podemos acreditar que somos somente os likes e os comentários positivos. Somos muito mais do que isso!

No capítulo 7, vou falar um pouco mais sobre como é ter amor-próprio na era digital. Já que hoje qualquer um pode nos julgar, precisamos entender como isso impacta a nossa autoestima e como nos "blindar" das críticas não construtivas.

Cada pessoa tem uma vivência, uma história e questões diferentes das nossas. Demoramos para entender que quem critica alguém está falando muito mais de si mesmo do que do outro. Críticas destrutivas nada mais são do que agressividade reprimida que sai maquiada na forma de críticas edificantes. Por outro lado, estamos acostumadas a achar que criticar algo é ofender, difamar, e não é bem assim. Temos medo da crítica, de não agradar a todos e de sermos colocadas naquela ala dos rejeitados. Por mais que a autoestima se erga a partir do nosso olhar, ela sempre terá uma interferência de fora, do olhar do outro. Na minha visão, precisamos treinar cada vez mais a nossa cabeça, é importante separar a crítica da agressão. Faz bem para o nosso desenvolvimento emocional entender que mesmo não agradando a todos,

estamos fazendo algo em que acreditamos e, se esse é o seu propósito, continue.

Passamos a moldar a nossa vida de acordo com o que as pessoas julgam legal. Nessa onda de querer agradar a todos, nos colocamos em uma caixinha e guardamos nossa essência lá no fundo da gaveta. Simplesmente esquecemos de ser quem somos e acabamos assumindo esse personagem nas redes sociais, nos relacionamentos, nas amizades e até no trabalho.

A vida digital, na maioria das vezes, é moldada de acordo com os likes e os comentários e feita baseada no que os seguidores querem ver. O problema disso é que, dessa maneira, perdemos a chance de mostrarmos um lado real nosso somente para atender às necessidades de quem está assistindo do outro lado.

Vejo muitas influenciadoras pelo mundo todo que mudam quem são com vinte e poucos anos. Estão cada vez mais interessadas em parecer perfeitas, em vez de em conviver com as suas imperfeições, o que, inclusive, poderia servir de inspiração para muitas outras, e isso acaba causando um baita mal para quem está ali do outro lado assistindo. Sem querer, passam a mensagem de que precisamos mudar o nosso corpo e o nosso rosto para sermos felizes, e isso, mais uma vez, causa um impacto ruim em quem está acompanhando. Precisamos de responsabilidade na hora de dizer alguma coisa, de abordar um assunto e até dar alguma dica. Aprendi ao longo desses anos que certas coisas podem ser mal interpretadas, então prefira a transparência sempre. Incentive as pessoas a enxergarem o lado bom delas, até mesmo quando você for responder a uma crítica ofensiva.

Receber uma crítica ofensiva não é das coisas mais agradáveis do mundo. Frases escritas com ódio nas redes sociais revelam um lado obscuro do ser humano, por isso procuro nem me apegar tanto a esse tipo de comentário on-line para não deixar que eles contaminem aquela página, feita, na maioria das vezes, de pessoas muito legais. Mas esses comentários existem, estão lá e funcionam como uma lupa que amplia a falta de amor que existe no mundo. É preciso ter calma para não responder o que o nosso impulso demanda na hora, é necessário respirar para que a gente entenda que o que vem de lá não pertence ao que está aqui. As pessoas se expressam da maneira que sentem, imagine que infelicidade ter tanta agressividade presa dentro de si. Aprendi a me colocar no lugar do outro, em vez de me ofender 100% com aqueles dizeres. Posso dizer que a rede social me fez evoluir rápido em pouco tempo. Você cria uma pele mais resistente, acaba entendendo que essas pessoas cheias de agressividade precisam de ajuda, de amor, de uma profunda autorreflexão. Não estou fazendo a linha bondosa, mundo cor-de-rosa – capricornianos não gostam disso rs –, mas é que entender que o problema do outro não é seu é optar por uma vida bem melhor, muito mais leve. Não podemos achar que tudo é reflexo nosso, que vamos agradar a todos ou que a vida será sempre cheia de palavras bonitas. A realidade é que estamos todos em transformação constante e há pessoas que ainda não aprenderam que não gostar é permitido, mas ofender é absolutamente desnecessário e fruto de um reflexo interno.

Outro ponto das redes sociais é que elas precisam ser usadas com consciência. Há ainda uma forte corrente de fotos lindas de mulheres que aparentam ser perfeitas e livres de problemas, IPTU, imposto, brigas, separação, decepção etc. Não acredite em tudo o que vê e não compare a sua vida à de outra pessoa, ainda mais à de alguém que você nem sabe como é pessoalmente. Todos nós temos problemas e estamos nessa vida para nos transformarmos em pessoas melhores.

Posso dizer que as redes sociais me ajudaram a contar um pouco da minha história; criei coragem através do mundo digital para me expressar melhor.

Sou muito fã do que essa ferramenta pode fazer. Com ela, a informação chega rápido, e isso pode ser maravilhoso. Mas precisamos ter cuidado com o que consumimos, falamos e escrevemos. As críticas são bem-vindas, afinal, refletimos bastante a partir delas. O ódio gratuito também ensina, nos mostra que precisamos espalhar mais amor, mais informação boa e um conteúdo que provoque uma reflexão no outro e em nós mesmas.

Eu jamais mudaria meu trabalho por causa das críticas; aliás, ninguém deveria ter medo de desagradar por ser quem realmente é. Não vou dizer que é fácil, mas é melhor do que viver com medo de sair do casulo. Já pensou que vida chata a de quem é o que os outros querem que ele seja? Passei a entender que o problema com o outro pode ser combustível para mim, passo a refletir mais e entender que precisamos continuar com o bom humor, com a verdade. Esse é um treino que levo para a vida.

O problema alheio, a dificuldade em fazer críticas construtivas em vez de destrutivas e a agressividade são uma questão do outro. Passe a sua mensagem e seja consciente.

> **O QUE O OUTRO FALA DE VOCÊ DIZ MUITO MAIS SOBRE ELE MESMO.**

CAP. 4

CAP. 5

CAP. 6

CAP. 7

CONCLUSÃO

CAPÍTULO 5

Amar não é aceitar tudo, aliás, aceitar tudo pode ser sinal de desamor

Antes de mais nada, pare com essa história de que você precisa encontrar um amor para se sentir completa, para ser feliz. Isso não existe. Esse é o mantra deste capítulo (e da vida!).

Um relacionamento não te completa.

Ele faz transbordar o copo que já estava cheio.

Você é a sua metade.

O nosso grande amor é o próprio.

E a melhor amiga? A autoestima.

CAP. 5

CAP. 6

CAP. 7

CONCLUSÃO

E O NAMORADO?

Que mulher, em uma festa de família, nunca foi abordada por uma tia desinformada com a fatídica pergunta: "E o namorado?". Essa é a típica pressão que a sociedade coloca em nós: temos sempre que estar em um relacionamento.

Somos, desde pequenas, educadas a encontrar um amor, casar e constituir família. Mas, por causa dessa "educação", criamos expectativas, esperamos por um príncipe encantado que não existe e por aquele romance – editadíssimo, ensaiadíssimo, diga-se de passagem – de filme. O amor é colocado no pedestal, assim como os relacionamentos amorosos. Podemos sofrer, brigar, mas o importante é nos encaixar nos padrões impostos pela sociedade.

Ainda temos a visão de que uma mulher só é 100% realizada quando está em um relacionamento. Imagina o que as pessoas vão falar se você chegar aos 30 anos sem ter casado? Ficou pra titia, talvez? Não ter um relacionamento a essa altura da vida pode ser encarado como um sinal de fracasso, e não como uma escolha. Falamos mal de mulheres que estão solteiras ou se separaram. Nos autodenominamos encalhadas quando não estamos em um relacionamento e achamos o máximo quando somos desejadas por alguém, mesmo que a gente nem queira a tal pessoa. Ou seja, estamos sempre às voltas com os relacionamentos, colocando pressão em nós mesmas. E transformamos o relacionamento em uma necessidade, e não na consequência da vontade de estar junto.

O RELACIONAMENTO TEM QUE SER UMA VONTADE, NÃO UMA NECESSIDADE

Olhando para trás, posso dizer que caí nesse conto e achei por um longo período que precisava estar com alguém. Não vou dizer que isso não fazia parte da minha essência, afinal, hoje em dia, eu adoro estar casada. Acho que um relacionamento saudável pode trazer coisas maravilhosas para a vida. Mas eu ia além, achava que precisava estar com alguém porque a vida tinha que ser assim. Namorar era sinônimo de sucesso emocional.

Vivi por muitos anos com esta frase na cabeça: "Preciso encontrar alguém que me complete". (O que não sabia era que eu não era metade para precisar ser completada.) Relacionamentos chegaram a ser mais importantes do que qualquer coisa na minha vida. Era como se eu quisesse provar para mim mesma que poderia fazer alguém gostar de mim. Eu mal me conhecia, mas a ideia de me apaixonar era eletrizante. Não posso dizer que a paixão não é incrível de ser sentida,

o desejo e o prazer também, mas a ideia de gostar de alguém estava em desequilíbrio com o resto dos meus desejos. Por muito tempo, achei que ter alguém resolveria meus problemas. Eu me apaixonaria, a pessoa se apaixonaria por mim, e, num passe de mágica, eu estaria com uma vida maravilhosa. Parece tão bobo escrever isso, mas confesso que fui assim por um bom tempo.

Foi por causa dessa necessidade que eu me dei mal. Durante anos, acreditei que estar em um relacionamento era sofrer e ter obrigações. Quando estava namorando, acreditava que tinha tirado a sorte grande por ter sido "resgatada" da vida de solteira por alguém e que eu devia me adaptar a ele para fazer dar certo.

E eu escolhia péssimos relacionamentos. Aqueles complicados, cheios de ciúme, brigas e uma sensação de mal-estar dia sim, dia não. Nessa época eu já havia entrado na terapia e acabava explorando esse assunto nas sessões. Uma vez meu terapeuta me disse algo que levo por toda a minha vida: "Você diz tanto que quer encontrar alguém para ser seu companheiro na vida, mas na verdade escolhe justamente as pessoas que não têm nada a ver com seus planos. Será que é isso mesmo que você quer, estar em um relacionamento? Pelo menos agora?".

Meu pensamento foi a milhão quando ouvi isso. No primeiro momento, me pareceu balela – afinal, quanto mais ajuda precisamos, mais a rejeitamos –, mas com o tempo fui entendendo o que ele queria dizer. Parecia que, para mim, estar com alguém era uma obrigação. Eu estava à procura disso, do título de namoro. E não me preocupava com o conteúdo dele. Ou seja, me envolvia com

Aqui vai um pensamento resumido de certas coisas que fazemos quando achamos que precisamos estar com alguém x quando realmente queremos estar. É importante refletir sobre isso, nosso tempo é precioso e estamos aqui para ser o que somos, não o que os outros querem que a gente seja.

Relacionamentos por necessidade

Relacionamentos por vontade

- ♥ medo de ficar só
- ♥ achar que um relacionamento vai te salvar
- ♥ ter medo da rejeição
- ♥ estar por dever
- ♥ ser escolhida

- ♥ vontade de dividir o que já é bom com alguém
- ♥ ninguém precisa te salvar
- ♥ viver um relacionamento com igualdade
- ♥ estar por prazer
- ♥ escolher

a primeira pessoa que aparecesse (culpa da baixa autoestima), mesmo que não tivesse nada a ver comigo (até porque eu não tinha autoconhecimento; se não sabia quem eu mesma era e o que queria, como saberia escolher o melhor pra mim?). Resultado? Desastres amorosos. Dores. Brigas. Desconfianças. Traições. Trauma.

AMOR-PRÓPRIO NÃO VALE SÓ QUANDO SOMOS SOLTEIRAS

A gente acaba lembrando do amor-próprio no nosso dia a dia apenas quando está solteira, né? Achamos que a autoestima, o amor-próprio, a autoconfiança etc. precisam estar em dia quando estamos sem alguém. Que dessa maneira vamos atrair pessoas interessantes e seremos mais desejadas. Mas o que muitas mulheres andam esquecendo é de seguir esses mesmos princípios na vida a dois.

O amor-próprio e a autoestima, muitas vezes, vão diminuindo conforme o relacionamento vai envelhecendo, e algumas pessoas se queixam da insegurança que sentem quando casadas. A intimidade revela características e fatos não românticos sobre nós. O outro te vê acordando sem aquela maquiagem de novela, ou te vê num dia não tão legal; o seu corpo muda, seja pela maternidade, seja pela idade; vocês têm discussões acaloradas por causa de dinheiro; passam por crises etc.

Ser casada ou estar com alguém por um longo período desconstrói aquelas máscaras que colocamos quando saímos de casa. Desidealiza o outro. Por isso, estar sempre perto da nossa essência é uma das coisas mais importantes que podemos fazer por nós mesmas. Ser casada é dividir a vida e também respeitar a individualidade do outro. É ter uma vida a dois, mas nunca esquecer de quem você era antes de estar nesse relacionamento. É se dar poder, e não esperar que o outro te empodere. É entender que os problemas não são todos ligados a você e que ambos os lados precisam trabalhar para a relação dar certo.

As causas da baixa autoestima e da falta de amor-próprio nos relacionamentos mais longos muitas vezes estão ligadas a essa falta de espaço para cultivar sua individualidade. Muitas mulheres ainda vivem uma ideia romântica – e bastante machista – de que devem fazer tudo para o seu parceiro sem receber nada em troca, mas, na verdade, quando entramos nesse movimento, o que queremos é a aprovação do outro, a admiração da pessoa que amamos e um atestado de que somos boas.

Isso se agrava quando a vida de uma pessoa se resume a satisfazer o outro. No momento que escolhemos isso, esquecemos da nossa vida, dos nossos desejos e, assim, nos anulamos. Amar é dividir, mas é preciso reciprocidade. É amar e ser amado; não é esse papo de não esperar nada em troca (sou contra o pensamento

É NECESSÁRIO SER DE VERDADE PARA TER UMA RELAÇÃO DE VERDADE.

de fazer, fazer, fazer sem haver uma troca). O casamento, os relacionamentos longos vivem da reciprocidade. Não se engane.

Quando assumimos um relacionamento, assumimos um compromisso com o outro e também com nós mesmas: nunca deixar a nossa essência de lado. Afinal, a nossa essência foi um dos fatores que nos levaram até esse relacionamento. Todos nós mudamos com o tempo, e é comum isso acontecer com os relacionamentos. A pessoa que éramos quando casamos pode não ser a mesma de hoje, mas isso não significa ser alguém desprovido de si mesmo. Para uma relação ser duradoura e harmônica, precisamos sempre entender quem somos, do que gostamos e o que não aceitamos de jeito nenhum.

DICA DA PSICÓLOGA

Existe uma fórmula para ter autoestima e segurança em um relacionamento longo?

Não existe uma fórmula para ter autoestima, tampouco para um relacionamento longo. Cada casal possui sua história, um contexto, por isso é particular como cada dupla constrói seus códigos. O que funciona para uns não funcionará para outros. Entretanto, observa-se que o relacionamento longo e harmonioso depende, em grande parte, da boa autoestima, da flexibilidade e da abertura dos parceiros para lidar com problemas, crises e as esperadas mudanças de fase.

O que fala a favor do relacionamento não é o tempo, mas a experiência de ambos se sentirem respeitados na vida a dois e individualmente. Quando se finge um amor que não se sente, quando não é possível exercer o que cada um é, quando os parceiros se vitimizam no intuito de manipular um ao outro, quando um se considera possuidor da vida do outro e quando um faz de conta que concorda quando na verdade discorda, apenas para ter aceitação, colabora-se para que a relação perca em harmonia e autoestima. De modo geral, as relações marcadas por parceiros com boa autoestima suportam melhor as crises e as mudanças ao longo do tempo.

A maior parte de nós foi criada e educada de modo a temer e evitar a autenticidade. É comum ouvirmos que a autenticidade é perigosa, nos deixa vulneráveis. De fato, a forma como é comunicada pode trazer inúmeros inconvenientes, já que nem sempre é reflexo de uma boa autoestima, apenas de uma necessidade compulsiva de sinceridade que objetiva agredir, chamar a atenção, controlar e manipular. Entretanto, numa relação, a autenticidade útil diz respeito a comunicar cada pensamento, sentimento ou ação possíveis. Não significa confessar verdades indiscriminadamente. Sendo usada assim, é um instrumento que, aliado a uma boa autoestima, fortalece, enriquece, amadurece e cria uma forte intimidade no casal.

É importante ressaltar que a relação amorosa, especificamente, pode se tornar um palco de acertos de contas que cada um precisa fazer com sua infância, seus pais e a família. Nem sempre o casal tem consciência do que se passa com cada um e, assim, olha o parceiro ou a parceira como responsável pelas suas dificuldades, inibições e temores que não pertencem ao âmbito do casamento, mas que sem dúvida criam enormes impactos para ele.

Quanto mais amadurecidos e conscientes forem ambos os parceiros, maior a possibilidade de uma relação longa e harmoniosa.

EXERCÍCIO

Monte a sua pirâmide, colocando em cada prateleira o que é mais importante para você, na ordem de prioridade. Algumas sugestões: relacionamento amoroso, trabalho, corpo, autoconhecimento, liberdade, amor-próprio.

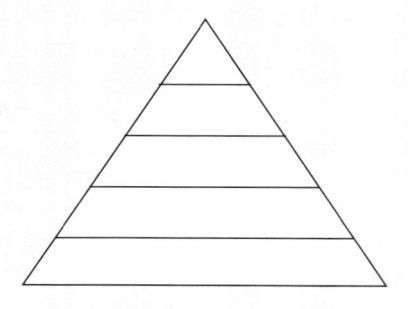

SE RELACIONAR COM ALGUÉM NÃO SIGNIFICA QUE VOCÊ PRECISA SE TRANSFORMAR NA OUTRA PESSOA

Um relacionamento amoroso pode fazer muito bem à nossa vida. Afinal, do mesmo jeito que não precisamos estar acompanhadas para ser feliz, ninguém disse que precisamos ficar sozinhas a vida toda. Não sejamos extremistas.

Se apaixonar, dividir o nosso tempo e receber um amor que nos faz bem é, sim, algo valioso. Mas se relacionar tem uma regra: precisa ser bom para os dois lados. A relação não deve virar uma dependência cada um continua tendo a sua vida, seus amigos, seus planos, seus gostos. Você passa a dividir o seu tempo com uma pessoa, mas a individualidade é muito importante.

Existem relacionamentos em que a pessoa se transforma no outro. Os gostos mudam, os amigos passam a ser os amigos do namorado e até o jeito de falar é esculpido pela pessoa "amada". ME-DO! O pior, em casos assim, é quando o namorado gosta de comandar. Apesar de ter tanta baixa autoestima quanto você, ele coloca uma máscara de pessoa segura e superior, de que sabe mais do que você e de que é através dele que você vai conhecer a vida de verdade. Quem é comandado acredita que o que o outro diz é verdade absoluta e sente medo de perder aquele relacionamento. Fica tão doente que chega a acreditar que a vida sem o outro não tem significado nenhum e que, mesmo estando ruim, é melhor estar com a pessoa do que sem ela.

Muitos acreditam que não encontrarão outro amor, que se terminarem essa relação estarão fadados à solidão, o que fortalece ainda mais a dependência. Essas relações podem ser bastante abusivas, como veremos quando abordarmos as relações tóxicas.

Há ainda casais que não conseguem ficar juntos sem a companhia de amigos. Estão sempre rodeados de pessoas, o que os impede de se conectar por inteiro, se conhecer. Uma relação saudável é aquela vivida com equilíbrio. É importante estar e fazer coisas sozinha, a dois e com outras pessoas. Cada coisa com a sua devida intensidade. Mas é impreterível que os casais se conheçam, inclusive no tédio de uma manhã de segunda-feira.

ESTAR SÓ PODE SER GRATIFICANTE

Uma coisa que aprendi nos meus tempos de reflexão é que gosto de estar sozinha mesmo estando com alguém. A minha companhia me faz bem, e estar em silêncio, muitas vezes,

é renovador. A independência é liberdade, tira certas ideias de que temos obrigações (tipo ser o que os outros desejam) e traz uma visão bem mais saudável para a nossa autoestima.

A individualidade é o que nos conecta com o nosso amor-próprio e nos faz lembrar de que ser nós mesmos é muito bom. E estar em contato com o que somos de verdade é melhor ainda. Uma pessoa que não tem conhecimento sobre si mesma não suporta a ideia de ficar só. Entende que sua companhia não é suficiente, não a completa, não a faz feliz. Logo, essa pessoa acha que, para obter a felicidade plena, precisa estar com

PARA NÃO ESQUECER

- ♥ Um relacionamento tem que vir para somar alegrias. Apesar das discussões e dos desentendimentos, no final ele precisa ser bom para a vida de ambos. A conta precisa fechar com saldo positivo.
- ♥ As duas pessoas precisam saber o que querem de verdade. Os ruídos começam quando o desejo de estar junto entra em desequilíbrio.

alguém. O que aumenta as chances de ela escolher alguém somente para estar acompanhada, e, com isso, as chances de sofrer são imensas.

Aprenda a amar a sua companhia, a aproveitar o que os momentos sozinha podem te trazer de melhor. Pode parecer fácil falar, muitas vezes sentimos um vazio dentro de nós, mal nos conhecemos, como vamos fazer algo por nós mesmas? Mas, como tudo na vida, isso é um processo. Se conhecer demanda tempo e uma mente livre de julgamentos. Acho importante tirar um dia da semana ou, pelo menos, algumas horas para se dedicar a si mesma. Pode ser desde uma massagem até um curso, meditação, aula de idiomas, uma ida ao cinema, uma refeição agradável. Não tenha medo, passe tempo com você. Faça o que gosta ou o que sempre teve curiosidade, isso pode despertar você para decisões importantes na vida e até mesmo para mudar de caminho. Estar em contato com a sua essência traz mais consciência e segurança de que ser você é, sim, muito bom.

Aqui estão algumas dicas de como começar a ter um tempo com você:

- ♥ Se livre dessa ideia de que pessoas sozinhas são infelizes. Pessoas que gostam da própria companhia são mais desenvolvidas emocionalmente e conseguem entender com mais clareza o que é ter uma relação saudável.
- ♥ Escolha fazer uma atividade que não envolva uma amiga, um amigo ou alguém que você conheça.
- ♥ Prefira coisas que dependam exclusivamente de você, e não de um grupo.
- ♥ Desligue-se um pouco do celular e da necessidade de falar com todos a todo momento.
- ♥ Se abra para descobrir o que te faz bem. Talvez você tenha que experimentar algumas coisas até encontrar o que gosta de verdade.
- ♥ Estar sozinha não é estar triste ou melancólica, é apenas se conectar com você mesma.

BUSQUE A INDEPENDÊNCIA EMOCIONAL

Quando falamos em independência, logo pensamos em alguém desapegado do mundo, solitário e com dinheiro. Não é mesmo? A independência ainda é vista como algo pouco romântico, exclusivo daqueles que não estão a fim de relacionamento. Logo, a ideia de ser independente e estar com alguém confunde um pouco a cabeça. Isso é possível? É, sim! E você deve ser independente!

A independência emocional contribui bastante para o sucesso de uma relação, e não a destrói, como muita gente imagina. Independência emocional é um conhecimento profundo de nós mesmos seguido de uma boa relação com a nossa autoestima. Isso significa que estar com alguém pode ser mais uma coisa boa na sua vida, e não o que faz a sua vida ser boa.

Conheço muitas pessoas apegadas à ideia de amar, de estar com o outro e de casar um dia. Essa idealização é tão forte que sua identidade é tomada pela obsessão de estar com alguém; logo, o seu limite com o outro é estendido ao máximo.

Para uma pessoa que tem boa autoestima e independência emocional, respeito é um dos fatores mais importantes para se construir uma boa relação, e quando falamos em respeito, estamos querendo abranger todo o significado dele. Respeitar os limites do outro, não ofender, não humilhar, não colocar a pessoa para baixo, não agredir de nenhuma maneira, tratar o outro bem sempre e entender que certos limites jamais serão ultrapassados. Quando somos dependentes, não sabemos mais ao certo o que é e o que deixa de ser respeito. Como estar com alguém é mais importante do que qualquer coisa, a pessoa deixa de lado valores importantes que deveria cultivar com o outro e acaba se cegando diante de uma situação ruim. Ela encara esses momentos como algo corriqueiro e normal em um relacionamento entre duas pessoas. Para ela, a falta de respeito é aceitável e faz parte da sua rotina. É como se a pessoa se acostumasse com o que não é bom.

A culpa é outro ponto que persegue as pessoas com alta dependência emocional. Como a sua autoestima está em desequilíbrio com a realidade, elas acabam se sentindo sempre culpadas de tudo.

Uma vez, recebi uma mensagem de uma garota que estava muito mal porque o namorado não falava com ela havia uma semana. Perguntei o que tinha acontecido, e ela me contou que tinha errado feio com ele. Logo imaginei algo que havia quebrado a confiança dele, o respeito ou algum outro valor importante numa relação. Então, ela me contou os detalhes.

Há tempos ela desconfiava do namorado. Ele não avisava a que horas chegava em casa, saía escondido, e ela já tinha ouvido algumas fofocas de que ele dava mole para outras meninas. Ela, muito dependente do relacionamento, não tinha coragem de dizer nada, de enfrentá-lo, com medo de que ele terminasse tudo.

Já podemos começar analisando a dependência dela a partir dessa breve explicação. Veja, ela estava infeliz, não vivia um relacionamento com cumplicidade, confiança e respeito e não conseguia se impor por medo de perder o namorado. Mas, pelo que a gente viu, perdê-lo até que seria um belo ganho, não? Na visão de quem está de fora, sim, na visão dela, não.

Em vez de já tomar uma decisão com base nas péssimas atitudes do namorado, ela resolveu pegar o celular dele para ter ainda mais certeza do que era óbvio. Resultado? O telefone dele era um retrato de tudo o que estava acontecendo. Ela viu o papo dele com outra mulher e constatou que estava sendo traída. (Eu chamo de traição qualquer coisa que viole o respeito, que é a lei que rege os relacionamentos. Essa é a minha opinião. Cada pessoa pode ter a sua visão do que é ou não traição.)

Claro que ela ficou desesperada com a situação e, de cabeça fervendo – não julgo –, resolveu confrontá-lo.

CAP. 5

CAP. 6

CAP. 7

CONCLUSÃO

O problema de confrontar o outro quando a sua dependência emocional é grande é que você não tem forças para resolver aquela situação como deveria. E foi o que aconteceu. O namorado virou o jogo completamente e disse que nunca mais queria falar com ela porque ela havia invadido a privacidade dele. Ele terminou o namoro com ela e a deixou absolutamente destruída emocionalmente.

O que me deixou mais triste foi a pergunta que ela me fez. Ela queria saber se aquilo era um término mesmo ou se ele voltaria com ela, mesmo depois de ela ter mexido no celular dele.

Veja, a situação já estava pedindo que ela tomasse uma atitude drástica, pois, claramente, o outro não se importava mais com ela. E ela estava desesperada por tê-lo "PERDIDO". A falta de amor-próprio, de independência emocional e de autoestima era tão grande que a única coisa que ela achava que precisava era do outro, daquele que fazia mal a ela; o que importava era estar com ele.

Essa dependência emocional é muito séria, faz com que fiquemos cegos diante de algo que parece óbvio para quem está vendo de fora.

Quando recebi a mensagem, mal sabia por onde começar. O meu conselho não tinha nada a ver com ele, nem com essa situação, e sim com ela. Claramente o problema vinha de uma esfera mais profunda do que uma crise no namoro, vinha de uma crise emocional dela mesma.

Eu concordo que existem pessoas que têm o poder de adoecer nossa cabeça, principalmente nos relacionamentos. Passamos a ter insegurança, desconfiança e criamos uma dependência que nos faz mal. Mas só chegamos a esse ponto do relacionamento se nos deixarmos levar por isso. O outro vira um espelho do que realmente está acontecendo dentro de nós.

Não quer dizer que somos incapazes de amar, que não sabemos ter um relacionamento, mas sim que há algo dentro de nós que está quebrado, e o que está quebrado precisa de conserto. Antes de a pessoa entender que há questões mais profundas a serem trabalhadas, ela precisa assumir que há um problema. Esse problema não é o outro, nem as atitudes que o outro tem. Até porque isso seria um problema dele. Ela precisa enxergar que há uma questão com ela e que, se não for resolvida, a tendência é que os próximos relacionamentos sejam iguais a esse.

DICA DA PSICÓLOGA
Como a terapia ajuda a desenvolver mais independência emocional?

A psicoterapia apresenta à pessoa sua vida emocional interna. Retira um pouco a atenção do que está fora, como causador de todos os problemas, e transfere para uma reflexão mais interiorizada. Nesse processo, algumas perguntas são fundamentais: "Qual a minha parte no meu viver?"; "Qual a dor que carrego?"; "Do que tenho tanto medo de enxergar em mim que só enxergo no outro?".

Por meio de uma boa interlocução entre terapeuta e paciente, os caminhos e as alternativas vão se construindo na busca e no fortalecimento da autorresponsabilidade; portanto, de um viver mais consciente, mais centrado na força e nos recursos que cada um tem de ser dono da própria história, das próprias escolhas e de aceitar que nem sempre seremos capazes de conduzir nossa vida exatamente como desejamos, mas, com certeza, teremos chances de conduzi-la da melhor forma possível.

A psicoterapia é um processo de descobrimento e assunção das próprias responsabilidades, dos limites e das possibilidades. A independência emocional está diretamente relacionada ao maior autoconhecimento.

Será que as mulheres, não todas, claro, têm medo de serem independentes emocionalmente? De estarem em um relacionamento em que tanto ela quanto o namorado sejam iguais? Por que nos colocamos tanto nesse papel de sermos escolhidas por alguém? Ficamos passivas muitas vezes e dedicamos os nossos dias aos relacionamentos ou à falta deles.

Parece uma caça ao tesouro, só que o "prêmio" é você deixar de ser quem é. É tipo um vírus mal curado que sofre mutações para continuar ali e, se não for eliminado, não tem jeito, vai atrapalhar a vida.

A falta de independência emocional também faz com que os padrões sejam repetidos. Uma questão que precisa ser tratada.

Dependência emocional	✗	**Independência emocional**
♥ não ter amor-próprio		♥ ter amor-próprio
♥ ter medo em excesso		♥ maior controle de seus medos
♥ achar que não merece coisas boas na vida		♥ querer coisas boas na vida
♥ acreditar que o outro é sempre melhor do que você		♥ entender que ninguém é melhor que ninguém, cada um tem suas qualidades
♥ ter baixa autoestima		♥ estar com a autoestima em dia
♥ ter pouco senso crítico		♥ ter senso crítico/ser bom observador
♥ ter pouco autoconhecimento		♥ buscar autoconhecimento
♥ não conseguir ficar só		♥ gostar da própria companhia

EX-NAMORADOS, QUANDO O FIM PODE SER O COMEÇO... DA RECUPERAÇÃO DA SUA AUTOESTIMA

Você pode se perguntar o que um ex tem a ver com amor-próprio, e eu diria que muito. Mas por que dedicar um tópico inteiro a eles? Existem pessoas que mantêm bons relacionamentos com ex, o que é possível e faz bem para a nossa saúde mental, mas, no geral, o bom relacionamento é difícil. Você pode não conversar com o seu ex, mas a história de vocês precisa ser resolvida para que você se veja livre dos traumas, das energias do passado, do rancor, da mágoa etc.

Aqui estou assumindo que você não tem uma boa relação com a pessoa ou com o fim da história. Não se ache estranha. Terminos podem resultar em um baita de um trauma. Mas tratar disso é fundamental.

Relacionamentos nos transformam, cada um constrói ou reconstrói uma parte nossa. Convenhamos: em geral, apaixonar-se e bem mais fácil

do que esquecer a tal pessoa. O que eu peço aqui é que você trate desse trauma. Que consiga aceitar o fim sem se machucar – ainda mais. Mas já digo que isso faz parte de um (longo) processo. Precisamos assimilar muitas coisas antes de dizer: "Tô bem! Passou!".

Vai passar, e você vai ficar muito bem, não tenho dúvida. Mas aproveite esse processo para entender se o sofrimento por alguém que passou na sua vida não é, na verdade, uma expectativa sua que foi destruída com o fim.

Sempre que terminava um namoro, eu me via numa fossa eterna comigo mesma. Entravam e saíam namorados, e lá estava eu com o mesmo vazio de antes. Repetia padrões para não ter que fazer grandes mudanças na minha vida. Posso dizer que me acostumei a sofrer. Aquilo fazia parte de mim, era o que o tal do amor representava para mim. Loucura.

Quando você se dá por vencida, parece que permite ainda mais que as pessoas te machuquem. Falta força emocional, estrutura. Eu estava fraca, muito vulnerável e bem deprimida.

Olho para trás e nem reconheço aquela menina perdida que parecia querer se meter nas piores relações. Custei a entender que o problema era comigo, e não com meus ex. Até porque ninguém vai salvar o outro, então esqueça a ideia de querer mudar a pessoa. Quem tinha que mudar era eu mesma, precisava QUERER ser feliz. Sei que essa frase parece meio óbvia. Mas para mim não era. Eu "gostava" de um drama, o sofrimento amoroso era uma fuga para eu não ser quem eu realmente era. Se você me perguntasse na época, eu diria que chorar e me lamentar era o caminho normal da vida.

O processo de entender que precisava escolher melhor me fez perceber o lance da autoestima, do amor-próprio e de todas essas palavras que representam a gente antes do outro. Aos poucos, comecei a entender que eu deixava o outro me podar, me castrar, e isso fazia parte da falta de autoestima, fruto também de uma sociedade machista que coloca a mulher como aquela que faz as vontades do homem.

A fossa me deixava mal, mas eu também me colocava como vítima. Eu era paparicada pelos amigos e familiares e me sentia amada. Logo recuperava a minha força, fazia terapia e... escolhia mal de novo. Em um desses processos, meu terapeuta me falou outra frase inesquecível: "Quando você chega perto da sua essência, se assusta e escolhe justamente aquele que vai te punir pelo que você é". Uau, ele realmente estava querendo me dizer algo muito importante: eu tinha medo de ser quem era e escolhia alguém para encobrir isso. Logo, me colocava à disposição do outro e maquiava toda a minha essência para deixar de ser eu mesma.

Quando ficava solteira, eu tinha um discurso lindo, independente, dizia que, embora quisesse encontrar um amor de verdade, estava ótima sozinha. Mentira. Eu não estava. Queria me convencer de que estaria bem sem alguém. Mas eu não me contentava com a minha companhia, eu sempre precisava de alguém.

Ao longo do tempo, fui tratando dessas questões. Fazia terapia, conversava bastante com a minha mãe, tinha apoio da minha família e fui atrás de entender por que fracassava tanto no amor. (Exagero de uma pessoa com lua em peixes, eu sei.)

À medida que fui aprofundando o autoconhecimento, fui deixando de ter medo do outro. Me aceitar foi um dos passos mais bonitos que já dei. Eu sou falante, sou intensa, gosto de trabalhar, de me expor de certa maneira, de ganhar meu dinheiro, falo alto, não escondo o que penso, e é isso. Não vou ter medo de ser quem eu sou para não assustar o outro. Se assustar, ué... problema dele. Sou independente, gosto disso. Não quero mudar, porque não acho que isso seja um problema. Se for para ele, problema dele.

Assim, eu fui estruturando minhas emoções e trabalhando em ser segura comigo mesma. Que processo incrível! Descobri tantas coisas legais sobre mim, prometi que nunca mais as deixaria de lado por ninguém. Também descobri minhas limitações, coisas que o autoconhecimento traz de bandeja, e as aceitei também. Por que não? Nada foi forçado nem calculado, foi um processo, e eu quis muito me aprofundar em mim mesma.

Tem gente que confunde gostar de si mesmo com ser egoísta, egocêntrico. Pecamos pelo excesso, em ser 8 ou 80, mas a real é que não precisamos machucar ninguém por sermos quem somos. Só não podemos nos transformar pelo outro, ferir nossos valores e nos tornar bibelôs de ninguém. Isso nunca.

Se um relacionamento acabou, teve seus motivos. Quando duas pessoas querem a mesma coisa, elas ficam juntas. Se não estão juntas, alguma dessas

CAP. 5

CAP. 6

CAP. 7

CONCLUSÃO

partes não quis, algo ali não combinou. Isso não quer dizer que você fez algo que acabou com tudo. São duas pessoas, então essa responsabilidade precisa ser, no mínimo, dividida.

Valores diferentes acabam com uma relação. Desrespeito. Falta de lealdade, de comprometimento, de interesse. Confusão mental. Cada pessoa com seus problemas e pontos, mas a realidade é que relacionamentos acabam por motivos que só fazem sentido mais pra frente.

Quando a dor passa, a raiva diminui, você consegue enxergar com mais clareza por que aquilo acabou. Pode ser que a sua vontade de estar em um relacionamento fosse tão grande que você confundiu uma relação ruim com algo de que você não podia abrir mão. Todos os relacionamentos significam algo na nossa vida. A primeira paixão, sexo, química, amor, descobertas. Ficamos presas nesse sentimento idealizado por algum tempo, por isso, muitas vezes demoramos a esquecer uma pessoa.

Gostamos de nos lembrar somente das coisas boas e passamos uma borracha nas ruins.

Aceitar o fim é uma coisa difícil, pois precisamos colocar um ponto-final naquela lista de sonhos lindos que um dia tivemos. Aceitar o fim é conviver mais consigo mesma. É aceitar a solidão, mas sem que ela seja um retrato do fracasso. É voltar para a estaca zero. Mas como um recomeço, não um retrocesso. É dizer para todos aqueles sonhos que eles precisam esperar. Que o futuro é incerto.

Como eu disse, não é fácil, ainda mais quando essas rupturas são intensas. Ficamos muito machucadas no fim, precisamos de um tempo. Dê-se um tempo. Se reconecte. Coloque para fora o que sente, fale sobre o assunto, mas faça dessa fossa um recomeço. Aproveite esse tempo sozinha para se descobrir, para entender aquilo de que gosta e de que não gosta, isso será muito importante para quando estiver pronta para um novo relacionamento.

O autoconhecimento vai fazer emergir muitas coisas sobre você. Você vai ver como é incrível e um privilégio se conhecer. Vá fundo nisso, mesmo que as lágrimas te acompanhem ainda por um tempo. A ferida demora para fechar, mas quando fecha, ficam somente um aprendizado e uma história que fez parte da sua vida.

O fim é um recomeço. Sempre.

PILARES PARA UM RELACIONAMENTO SAUDÁVEL

Os nossos relacionamentos amorosos podem ser prazerosos, conter histórias lindas de amor e ser bons para a nossa vida. Aliás, os relacionamentos amorosos devem ser assim, não se engane.

Na minha visão, existem três pilares para a construção de um relacionamento saudável. O primeiro é o **equilíbrio**. Querer uma vida amorosa não é sinal de que você só será feliz se tiver isso; é um desejo, um plano que podemos concretizar ao longo da nossa história. O ponto é: isso representa o que para você? Por que você deseja um relacionamento amoroso? (Essa resposta não é de miss, não deve ser ensaiada. Quero que você pense de verdade, sem medo. Qual a primeira resposta que vem à sua mente?)

Desejar é muito bom. Fazer planos também. Quem disser que não planeja nem um pouco da vida está mentindo ou perdido. A grande questão que já vi e vivi é que estar em um relacionamento é quase visto como um atestado de alguém bem-sucedido. Você pode estar indo bem no trabalho, ser independente financeiramente, ser uma pessoa legal, ajudar os outros, mas... aquela pergunta sobre o namorado sempre surge. Não que as pessoas sejam más, é que estar com alguém te completa, dizem.

Só comecei a encontrar o tal do equilíbrio à medida que fui repetindo o mesmo padrão e me dando conta de que algo estava errado com

EXPECTATIVA

FRUSTRAÇÃO

DESEJO DE PERFEIÇÃO

EXPECTATIVAS IRREAIS

FALTA DE EQUILÍBRIO EMOCIONAL

FALTA DE CRÍTICA EMOCIONAL

SER ESCOLHIDA SEM ESCOLHER

minhas escolhas. Começava algo, me empolgava, acreditava no que gostaria que a pessoa fosse e me decepcionava. Era um círculo vicioso.

A minha vida parecia se repetir, só mudavam as pessoas com que me relacionava, mas o começo e o fim eram iguais. Muita expectativa seguida de uma bruta frustração. Não posso negar que desse drama todo aprendi muitas coisas que aplico no meu relacionamento de hoje.

Defendo a ideia de que aprender a se relacionar depende de treino; não

nascemos com um manual, precisamos conhecer nossos limites e desejos, e essas escolhas amorosas dizem muito sobre nós. Ou seja, é bom errar, mas só se tirarmos um aprendizado disso. Caso contrário, você não estará vivendo, estará apenas cometendo erros consecutivos.

Vamos nos dar conta disso a partir do momento em que entrarmos em estado de consciência, que conseguirmos enxergar além das nossas expectativas. O equilíbrio se trata desse grande passo, entender que um bom relacionamento se encaixará na sua vida, mas precisamos buscar equilibrar isso com nossa individualidade. O respeito com a individualidade do outro é essencial também. Relacionamentos não devem ser um peso, não podem representar uma prisão ou aquele toque de se recolher para sempre. Relacionamentos devem se equilibrar na rotina e na vida das pessoas envolvidas. Há um desequilíbrio quando as pessoas pensam que estar com alguém é abrir mão de quem se é. De fato, há uma outra consciência adquirida, pois temos mais uma pessoa fazendo parte dos planos e da vida do outro. Mas isso não significa uma perda, pelo menos não deveria. O amor deve estar em equilíbrio com o que somos, com o que queremos e como vivemos. Ele não toma o controle de nossa vida, ele soma, complementa.

O segundo pilar é a **responsabilidade**. Depois de nos frustrarmos, entendemos que o mundo é um poço de injustiça e que nada dá certo. Esse mar de lamúrias se torna quase

ERRAR TRAZ MAIS BENEFÍCIOS DO QUE ACERTAR, DESDE QUE VOCÊ TIRE PROVEITO DISSO

um passe livre para cometermos mais erros sem medir as consequências. Continuamos a culpar o mundo, os homens, as mulheres, o ex, a menina que deu em cima, o trabalho que tomou conta da nossa vida, e assim por diante. Nunca assumimos a nossa parcela de responsabilidade. É como se tivéssemos perdido a nossa consciência e vivêssemos naquele estado de aceitar o que vier.

A vitimização não resolve, ela somente maquia a nossa responsabilidade e atrasa o amadurecimento. Ser vítima de algo é diferente de viver se vitimizando. Além disso, ela faz que nos vejamos inferiores ao que somos e reforça ainda mais a ideia de que precisamos de alguém para nos salvar.

Não há prova maior de desamor do que essa ideia fixa de que não somos boas sozinhas, de que a nossa companhia não nos basta, que precisamos de alguém para alcançar a felicidade. Imagine quanta expectativa é gerada em cima desse pensamento e, consequentemente, do relacionamento. Como ninguém nessas condições faz a vida do outro melhor, mais uma frustração é gerada e a ideia de que a sua vida nunca dá certo aumenta.

O terceiro pilar é a **independência**: RELACIONAMENTOS NÃO NOS SALVAM DE NÓS MESMAS.

Uma vida amorosa é uma terceira vida entre duas pessoas. Ou seja,

DICA DA PSICÓLOGA
Por que é mais fácil se colocar no papel constante de vítima?

Da vítima, pouca responsabilidade é cobrada. O papel de vítima, embora pareça enfraquecido, guarda sua força. A vitimização mantém o entorno, o ambiente circundante, atento, preocupado e cuidadoso.

A grande perda desse estado é a subtração da capacidade reflexiva, crítica e responsável para assumir o protagonismo da própria vida. A vitimização empobrece a subjetividade, distorce a realidade e atribui ao que e a quem está de fora toda a culpa e a responsabilidade de encontrar as devidas e ajustadas soluções para os impasses e desafios.

A vítima adquire um lugar de destaque pelo oposto do que poderia ser visto como força e capacidade de enfrentamento. Há uma entrega ao sofrimento que, curiosamente, não é vivido tão profundamente quanto parece. Aparentemente há reclamação, pedido de ajuda, dor, porém nem sempre a vítima aceita os caminhos da resolução dos impasses se estes ficarem sob sua responsabilidade e apresentarem necessidade de transformação.

quando nos relacionamos existem três vidas em jogo. De um, do outro e do casal. É como se fossem círculos que se encontram, mas que não se misturam por completo.

A ideia de que vamos ser salvas por alguém é o nosso amor-próprio pedindo socorro. Não basta ser você, precisa ter alguém além de você.

Particularmente, acho que essa ideia pode nos colocar em um lugar muito perigoso. À medida que você coloca o peso da salvação em alguém, vai virando refém daquela pessoa, do que ela diz e do que ela pensa. Logo, perdemos a nossa consciência para o outro. Somos facilmente manipulados por não achar que o que pensamos e o que somos tem valor. Já passaram por isso? Parece que o outro tem um poder tão grande no relacionamento que você se sente do tamanho de uma formiga. Sua voz e seus desejos são castrados, agora quem fala e quem manda é a pessoa por quem estou hipnotizada.

Tem gente que ainda chama isso de paixão, mas eu insisto que perder a sua identidade não tem nada a ver com isso. Basta lembrar dos três pilares dos relacionamentos saudáveis:

- ❤ EQUILÍBRIO
- ❤ RESPONSABILIDADE
- ❤ INDEPENDÊNCIA

> **Três armadilhas perigosas dos relacionamentos não saudáveis:**
>
> - ❤ **1º – falta de equilíbrio:** penso que estar em um relacionamento é o que há de mais importante na minha vida.
>
> - ❤ **2º – vitimização – nada dá certo por culpa do mundo.** Não tenho consciência das minhas escolhas e da falta de autoconhecimento.
>
> - ❤ **3º – ideia de salvação –** alguém vai me fazer feliz, e só assim me sentirei completa. Minha voz é a voz do outro.

RELACIONAMENTOS TÓXICOS

Quando falamos em relacionamentos tóxicos, logo nos vêm à cabeça as relações amorosas – namoro, casamento –, mas saiba que qualquer tipo de relacionamento pode ser classificado dessa maneira. Mas como aqui estou falando sobre relacionamento amoroso, vou explorar a questão de nos apaixonarmos pela pessoa errada, de nos viciarmos em relações manipuladoras que nos machucam e nos fazem mal.

Os relacionamentos tóxicos têm níveis de gravidade, mas, para mim, tudo – TU-DO – que nos agride é tóxico.

COMO IDENTIFICO UM RELACIONAMENTO TÓXICO?

A maioria das pessoas identifica um relacionamento como tóxico ou abusivo quando há violência física ou verbal. O que muita gente não sabe é que um relacionamento abusivo é todo aquele que nos fere. Seja psicológica, física, mental ou sexualmente.

Se estamos com uma pessoa que destrói a nossa autoconfiança, autoestima, que nos constrange, nos humilha, que diz o que devemos vestir, como devemos falar, que nos força a fazer o que não queremos, que nos persegue, nos vigia, nos culpa, e por aí vai, estamos em um RELACIONAMENTO TÓXICO OU ABUSIVO.

Já ouvi pessoas dizerem que cada relacionamento é um e que o limite de cada pessoa é diferente. Concordo em parte. Tem pessoas que perdoam traição, outras que não se separam por causa de filhos, outras que gostam de uma relação aberta. Ok, cada um encontra um jeito melhor para se relacionar, afinal as pessoas são diferentes e querem coisas diferentes. Justo? Mas aqui estamos falando sobre agressão verbal e física, e essas circunstâncias NÃO se encaixam na categoria "cada um tem seu limite", ou pelo menos não deveriam.

Conheço histórias de pessoas que viveram situações de verdadeiro terror, foram abusadas verbalmente, sexualmente e ainda acreditavam que essas situações extremas eram fruto de um mau momento do parceiro, de uma situação específica etc. Parecia que o problema acontecia, mas que elas ainda queriam acreditar que aqueles eram fatos isolados e que o relacionamento ainda tinha jeito.

Eu mesma tive alguns relacionamentos tóxicos na vida. Parecia que eu sempre escolhia alguém que não gostava de como eu era. Já tive namorado que criticava meu corpo, minha espontaneidade, o jeito como falava e os amigos que tinha.

Sempre fui muito falante, expansiva e com bastante opinião. No mínimo, a pessoa que estivesse comigo teria que gostar desse meu jeito. Mas o engraçado, para não dizer trágico, é que eu só escolhia pessoas que tinham uma mentalidade diferente da minha. Homens que achavam o machismo necessário em um relacionamento e que não curtiam mulher com um papel relevante na vida.

Mas logo eu, uma pessoa independente, que gosta de fazer o papel principal na sua própria vida e que jamais aceitaria ser uma personagem coadjuvante na trama? Por que eu estava escolhendo justamente o que não me servia, que me colocava para baixo e podava a minha essência? Eu era refém da minha falta de amor-próprio. Apesar de enxergar as péssimas situações que vivia, eu não conseguia sair delas. Aceitava as críticas destrutivas como verdades e assim eu construía uma ideia muito triste a meu respeito.

Deixei que me desrespeitassem, que tolhessem aquilo que eu era, porque eu não havia aprendido ainda o que era ter amor por mim mesma. É aquela velha história: se a gente não se ama, não se respeita, como vamos barrar essas pessoas tóxicas de nossa vida? Demorei um tempo para entender que o meu padrão era de desrespeito, desarmonia e que eu sempre deixava a minha essência de lado para me moldar de acordo com aquilo que era imposto pelo outro lado.

Foi uma época difícil. Eu repetia um padrão tóxico. Toda vez era a mesma história. Ia deixando de ser eu, falava até mais baixo, ria pouco e ia me anulando. Sabe quando você diz que fulano tira o brilho do outro? Eu ouvia isso direto das pessoas – que eu estava perdendo o meu brilho. Aquela felicidade, alegria, vivacidade, tudo ia embora em questão de meses. Houve um caso de um namorado que adorava dizer que eu estava gorda ou que tinha engordado. Ele tirava sarro do meu corpo e dizia que gostava de mim mesmo eu estando daquele jeito. Passava um nervoso na praia quando tirava minha saída de banho para tomar sol porque sabia que ele diria algo em tom de brincadeira, mas era aquela brincadeira bem agressiva que me colocava para baixo. Eu entendo hoje que ele falava algo que vinha de uma insegurança imensa dele mesmo e que eu era a porta-voz desse seu problema. O negócio é que me deixei ser porta-voz e acabei acreditando por um tempo que eu era aquilo mesmo que ele dizia. O meu nível de tolerância era oposto à minha autoestima, eu demorava demais para sair daquilo, era difícil enxergar que aquele relacionamento precisava de um fim. Ele, por sua vez, se aproveitou dessa fraqueza e entendeu que, me deixando insegura comigo mesma, conseguiria manter o relacionamento com mais facilidade. Era como se me agredir verbalmente me deixasse refém dele.

Passado um bom tempo, eu entendia que tudo aquilo que estava vivendo era ruim para mim e terminava. Mas a triste surpresa era que novamente eu escolhia o mesmo tipo de pessoa. Logo, achava que relacionamento era aquilo mesmo: dor, chororô, incompatibilidade, brigas, babado e confusão. Eu não só achava, eu tinha certeza. Olhava ao meu redor e via pessoas felizes em seus relacionamentos e me perguntava: por que isso não acontece comigo? Deve ser minha culpa, eu mereço viver assim.

Aquele papo de ver a grama do vizinho mais verde é um fato. Quanto mais você se compara, pior se sente. Quanto mais no papel de vítima você se coloca, menos você evolui.

Como esse é um assunto muito sério, vou dar a palavra agora para quem entende: a nossa psicóloga.

DICA DA PSICÓLOGA

Como identificar um relacionamento tóxico?

Alguns pontos importantes a serem identificados para se dizer que existe um relacionamento tóxico são a liberdade, a variação da intensidade de amor e ódio e o padrão altamente violento no dia a dia da relação.

Relacionamentos tóxicos são por princípio aprisionadores. Mantêm um dos lados sob controle, vigilância e receptor das mais diversas mensagens dúbias. A comunicação vai do amor ao ódio, velado ou explícito. Há uma espécie de insistência em averiguar os erros do outro. Nunca nada está a contento, tudo precisa ser refeito. Os erros, enganos e equívocos são maximizados, tornando a relação um palco de agressões, humilhações e desrespeito. Um relacionamento tóxico pode ser identificado por alguns padrões como:

- ♥ causar mal ao parceiro(a)
- ♥ desvalorizar o(a) parceira(a)
- ♥ ofender
- ♥ não respeitar a necessidade do outro
- ♥ não prestar atenção ao contrato e às regras criadas na relação
- ♥ ter ações egoístas e impensadas
- ♥ ter atitudes mesquinhas e violentas.

Por que custamos a identificar um relacionamento tóxico?

A relação tóxica não é exclusivamente tóxica. A dificuldade de identificação se dá exatamente por isso. Uma marca dessas relações é a intensidade para o bem e para o mal. Uma anda ao lado da outra. Por esse motivo, a comunicação é dúbia, enganosa. Xingar, desprezar, menosprezar, desvalorizar e, ao mesmo tempo, agradar, dizer que ama, pedir perdão e querer convencer de que tudo o que faz é por amor, somente por amor.

Embora a mulher saiba que está em um relacionamento abusivo/tóxico, por que ela ainda questiona se isso é loucura de sua cabeça?

O relacionamento abusivo é construído em cima de uma comunicação dúbia e perversa e que nem sempre é rapidamente identificada, pois há momentos em que o abusador (ou abusadora) se retrata como alguém frágil, que necessita de ajuda e até pede por ela. Quem sofre o abuso quase sempre está imbuído da ideia de que o ser amado precisa de "colo", "ajuda", e é levado a acreditar que pode "salvar" e melhorar a vida do outro. Tudo isso engendra uma situação muito confusa que só se estabelece por uma das partes estar com a autoestima mais fragilizada e dependente dos cuidados de alguém. Cuidados se confundem com maus-tratos e atenção se confunde com patrulhamento, vigilância.

Uma amiga minha está vivendo um relacionamento tóxico, como posso ajudá-la?

1. Não pretenda que a pessoa entenda logo o mal que aquilo tudo está fazendo a ela. A dinâmica desses relacionamentos é mais complexa do que pode parecer.

2. Não julgue. Para uma pessoa com a autoestima baixa e sem amor-próprio, viver aquela relação abusiva pode parecer o melhor que ela pode ter naquele momento.

3. Ouça. Seja uma boa ouvinte.

4. Mostre que entende quanto é difícil tudo o que está vivendo, mas que as coisas podem mudar, podem ser diferentes.

5. Ressalte as capacidades da pessoa e seus aspectos fortes.

6. Deixe claro que o processo de separação desse relacionamento tão tumultuado não será tão fácil e simples. Poderá haver idas e vindas, mas é possível sair dele definitivamente.

7. Indique, sugira que busque uma ajuda, mas tenha em mente que nesses momentos ter bons amigos e familiares é fundamental no apoio de quem vive um relacionamento de caráter tóxico.

NÓS VIVEMOS AQUILO QUE ESCOLHEMOS?

As pessoas costumam ligar o vício apenas a hábitos ruins, mas também podemos ser viciados em coisas boas – tem gente, por exemplo, que é viciada em sexo, outras, em chocolate. É importante saber que o vício, mesmo em coisas saudáveis, é altamente prejudicial para a nossa saúde física e mental.

O vício substitui algo que está faltando, preenche uma lacuna. Podemos ter compulsão por comida, álcool, drogas, magreza excessiva, academia e – por que não? – por relacionamentos ruins.

Ter um relacionamento tóxico pode ser um fato isolado na vida de uma pessoa, mas, normalmente, quem passa por esse tipo de situação acaba repetindo o padrão. Mas como uma pessoa consegue ter tantos relacionamentos que fazem mal? Ela não aprende? Isso não é querer sofrer? Não é óbvio que aquilo faz mal?

Alguns livros de autoajuda pregam que somos aquilo que escolhemos ser e ponto. Mas, na prática, a coisa não é bem assim, afinal, os fatores externos também podem contribuir bastante para as nossas decisões. O outro pode ser problemático e ruim para você, mas a questão é: por que escolheu estar com essa pessoa? Qual gatilho dentro de você é acionado quando se encontra em um relacionamento ruim?

Você pode conhecer duas pessoas que viveram a separação traumática dos pais e que são absolutamente diferentes uma da outra. Enquanto uma é traumatizada com relacionamentos, a outra é focada em se conhecer mais e escolher melhor o parceiro para não passar pelo que os pais passaram. Se você é a primeira pessoa e abre esse tal livro de autoajuda, vai acreditar que escolheu ser uma pessoa traumatizada no quesito relacionamentos, enquanto a outra escolheu um caminho melhor do que o seu e, portanto, você é pior do que ela, porque não soube fazer uma boa escolha. Logo, se sente mal e fica com a autoestima mais baixa ainda – ou seja, esse livro não te ajudou!

Esse papo pode até estar parecendo uma sessão de terapia, mais precisamente de psicanálise, mas é interessante entender de onde vem essa sucessão de más escolhas. Por que será que os relacionamentos ruins te atraem? Será que é influência de algo que você vivenciou em casa? Ou da baixa autoestima que foi formada desde a infância? Você sofreu algum abuso na vida? Sempre se comparou e se questionou demais? São muitas questões internas importantes a serem levadas em conta. Nós somos o que escolhemos, mas também aquilo que vimos e vivemos. Ter essa consciência e conseguir enxergar de onde isso vem é um começo maravilhoso.

Vamos lá. Não pense que porque se relaciona com pessoas que não são legais você é alguém pior do que determinada pessoa que está casada e, aparentemente, feliz. Entenda que o caminho de cada um é de cada um. Não existe ninguém melhor ou pior do que você, existem escolhas, visões e histórias diferentes. Sabia que um casal que passou por uma traição no casamento pode ser mais feliz do que aquele que nunca conheceu uma crise? Uma pessoa que errou bastante nas escolhas pode ser aquela que melhor aconselha as amigas. Não se baseie no sucesso, se baseie na resiliência de cada um. Isso se chama viver de verdade.

A vida não é certinha como imaginamos, são os altos e baixos que determinam o nosso crescimento e a nossa evolução. Se você está viciada em um relacionamento tóxico, não se coloque numa posição mais baixa, entenda que sair disso é um processo que fará você ser alguém muito melhor do que antes.

Abri mão.
De você.
Tava precisando.
Te esquecer.
Talvez precisasse viver.
Viver feliz.
E não preocupada com
o que você diz.

Viver em paz.
E não com medo de não te ter mais.
Viver comigo.
E não ter que aturar o mundo
no seu umbigo.
Agora o mundo é meu.
Não sou mais tua.
Sou mais eu.

DESESPERO = FALTA DE SENSO CRÍTICO

Quando não conseguimos parar e pensar na situação, nos desesperamos. O senso crítico nos ajuda, nos guia, sem ele damos vez ao desespero, àquela sensação de não saber o que fazer. O senso crítico se desenvolve a partir do autoconhecimento e de uma postura que não tem a ver com vitimização.

EXPECTATIVA ALTA DEMAIS = FALTA DE SENSO CRÍTICO

Quando colocamos as nossas expectativas lá no alto, ficamos cegas. Entendemos que só aquilo vai nos fazer felizes e seguimos em busca do inatingível. É importante ter senso crítico para entender o que é possível e o que é idealização da nossa mente.

FALTA DE AMOR-PRÓPRIO = FALTA DE SENSO CRÍTICO

Se não nos amamos, não nos respeitamos. O outro toma conta da nossa vida, não enxergamos o desrespeito nem avaliamos direito o que é bom para nós mesmas. O amor-próprio é aquele sinal vermelho que acende quando o outro te fere ou quando você não está feliz e precisa, pelo menos, parar para repensar tudo aquilo. Sem amor-próprio, acabamos aceitando o inaceitável e colocando nossos limites no céu.

SE CONHECENDO MELHOR

Chegou a hora de pensar sobre o tipo de relacionamento que você quer. Use o espaço abaixo para isso.

O QUE EU QUERO EM UM RELACIONAMENTO	O QUE EU NÃO QUERO EM UM RELACIONAMENTO

VOCÊ JÁ ESTEVE (OU ESTÁ) EM UM RELACIONAMENTO TÓXICO

Se você já esteve ou está em um relacionamento tóxico, quero que, antes de começar a ler este tópico, pense um pouco nas perguntas abaixo, levando em consideração também suas respostas sobre o que quer de um relacionamento.

- ♥ Por que você escolheu aquela pessoa? O que te atraiu nela?
- ♥ Por que insistiu em um relacionamento que te fazia mal?
- ♥ O que você pensa sobre relacionamentos?

Para algumas pessoas, esse papo de autoconhecimento é chato, é psicologia demais, é tedioso. Mas eu garanto a você que se relacionar por uma vida toda com pessoas erradas e sofrer repetidamente é muito pior do que qualquer aprofundamento em autoconhecimento que você julgue tedioso.

Buscar conhecimento é a chave para entender de onde a sua cabeça parte quando você se envolve com alguém ou quando escolhe qualquer coisa na vida. Isso não quer dizer que se conhecer mais vá garantir a você 100% de acerto, mas garante uma diminuição significativa de roubadas em que se meteria e um senso crítico mais maduro e apurado sobre você mesma.

Sabe quando você conhece alguém e sente que algo está errado? Mas mesmo assim insiste porque... Por que mesmo? É este o ponto do autoconhecimento: se perguntar ao menos o motivo de ter escolhido aquele caminho.

A vida é para ser vivida intensamente? Bom, você está lendo um livro de uma pessoa bastante intensa, mas a minha resposta não é simplesmente "sim, com certeza, sem sombra de dúvida". A vida é para ser bem escolhida. Isso sim. Fazer boas escolhas é querer escrever uma história que você sinta satisfação ao ler.

Então, quando falamos em relacionamentos tóxicos, não falamos somente daquela pessoa que nos fez mal, mas também do fato de termos escolhido aquilo para nós.

Olhar para si mesma significa sair do papel de vítima: você pode ter sido vítima de um relacionamento tóxico, mas isso não deve te transformar em uma vítima eterna. Juntar os cacos de um vaso quebrado pode levar um tempo, mas pegar os cacos e ficar se cortando para lembrar que um dia ele se quebrou, daí já é errado. Entende?

Dá trabalho cuidar da gente, até porque a verdade não é tão linda assim e mudar os nossos padrões requer bastante vontade. O vício em relacionamentos tóxicos é como um vício qualquer, de fácil adicção e difícil abstenção.

CAP. 5

CAP. 6

CAP. 7

CONCLUSÃO

Cinco importantes passos para se afastar de quem te faz mal

1. A culpa não é sua pelo outro ser como é.

2. A responsabilidade de sair ou não da situação é sua.

3. Peça ajuda: se você sente medo da pessoa com que se relaciona, se essa pessoa te faz ter medo de se separar dela ou se você vive com medo de contar para alguém o que você passa no relacionamento, você está em um relacionamento que não é saudável e que não te faz bem. Isso deve mudar. Você deve mudar. Se não conseguir fazer isso sozinha, procure ajuda. Deixar alguém próximo a você saber o que está acontecendo ajuda a aliviar aquela sensação de viver tudo aquilo sozinha e te dá forças para tomar uma decisão.

4. Não tenha vergonha, você não está sozinha. Muitas pessoas vivem ou já viveram relacionamentos assim. Entenda isso como um aprendizado. Depois de passar por isso, poderá ajudar muitas pessoas a sair de situações parecidas.

5. Você não é louca. Tudo o que nos fere, machuca ou nos faz mal está errado. Se alguém ouviu a sua história e achou que você está exagerando, que está louca etc., saia de perto e escute a sua voz interna. Você sabe o que te faz mal, você conhece mais aquela relação do que qualquer outra pessoa.

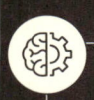

DICA DA PSICÓLOGA

Como funciona o processo de abstenção?

Não é simples tomar a decisão de sair de um relacionamento abusivo e mantê-la. Quase sempre há recaídas, dúvidas e novas chances. É como uma droga que cria, momentaneamente, a ideia de prazer, plenitude e de que o mal já se foi. Entretanto, o ciclo volta a se repetir com as mesmas desqualificações, desprezo, brigas por qualquer coisa, e, de novo, retornam os pedidos de desculpas, o arrependimento, o perdão e as promessas de que nunca mais nada do tipo ocorrerá. De modo geral, o abusador culpa o abusado pelos conflitos. É comum o abusado ouvir: "Veja o que você me fez fazer com você"; "Você me tira do sério"; "Falta a você habilidade para falar comigo"; e assim segue o padrão abusivo de relacionamento.

No período de "abstenção", termo emprestado das adicções químicas, é importante contar com uma rede de apoio que possa ajudar a pessoa a suportar a dúvida e o medo e a manter-se firme diante da ideia de que o abusador pode ser alguém que merece outra chance. Importante ressaltar que esse é um momento que requer muito cuidado e sustentação, que podem vir da família, dos amigos e, sem dúvida, do apoio profissional.

Agradeça.
Você se livrou.
Era fogo.
Acabou.
Não era amor.
Era dor
Um horror.
Era jardim sem flor.

Olhe pra frente.
A felicidade está na gente.
Não no outro.
Nem no próximo.
Ela está aí.
Com você.
Basta crer.
Vá viver.

CAPÍTULO 6

As escolhas profissionais também impactam o seu amor-próprio

Muitas pessoas enxergam o trabalho como uma obrigação, uma forma de ganhar dinheiro e, até mesmo, um meio de ganhar a tão desejada independência. Parte disso é verdade, mas gostaria de explorar aqui uma outra questão: o amor ao trabalho. Existe amor no trabalho? Pelo trabalho? É possível trabalhar com o que a gente acredita e gosta? Como ser feliz e confiante no trabalho?

Seria injusto da minha parte colocar o trabalho somente como uma escolha sentimental na vida. Muitas vezes, e, arrisco dizer, na maioria delas, o trabalho é uma necessidade, é com ele que ganhamos o nosso dinheiro e fazemos a nossa vida, e não há nada de errado nisso. Mas gostaria que, por um momento, a gente esquecesse um pouco as finanças, as contas – difícil, né? Mas é só por ora – e fosse um pouco mais a fundo, na nossa essência.

Se você pudesse escolher qualquer trabalho no mundo, qual você escolheria?

Não estou falando sobre ser outra pessoa, porque não adianta desejar ser alguém que já existe e cumpre a sua missão aqui na Terra. (Lembre-se: todos já estão ocupados sendo eles mesmos, você deve ser você.) Quero que pense no trabalho como algo que tem a ver com seus gostos, seus dons, com aquilo que faz brilhar seus olhos. Pensou?

- ♥ Será que você está trabalhando no que gosta?

- ♥ O seu sonho e a sua realidade estão distantes? Quão distantes?

- ♥ Qual é o seu talento? O que você faz de melhor?

- ♥ Seu trabalho te leva para algum caminho que faz sentido dentro do que deseja?

- ♥ Trabalho para você representa apenas dinheiro?

- ♥ Você gosta do que faz, de onde trabalha, das pessoas com as quais trabalha?

TRABALHO E PROPÓSITO

Para mim, o trabalho está diretamente ligado a um propósito, mas não quero soar irresponsável e colocá-lo somente como uma paixão ou um sonho. Isso seria irreal e intangível, principalmente nos dias de hoje, em que ganhar dinheiro é uma necessidade. O que quero dizer é que o trabalho, na minha concepção, precisa ser um lugar agradável de estar, e nós precisamos sentir que, a partir dele, outras coisas interessantes podem surgir.

Alguns trabalhos servem somente para pagar as contas, enquanto outros suprem um sonho (embora nem sempre paguem tão bem assim), outras pessoas conseguem experimentar do privilégio de ter o ganho e a paixão no mesmo lugar.

Dinheiro ou satisfação pessoal? Essa é a dúvida do século, e eu vejo um lado muito bom nisso. Hoje em dia falamos mais sobre ter um trabalho que traga bem-estar, começamos a entender que mesmo não encontrando a paixão total nacuele lugar, ele não pode ferir nossos valores nem ser um peso que não conseguimos sustentar. Há uma maior consciência da qualidade do trabalho, das horas investidas ali e de como se trabalha.

Seja qual for o seu objetivo com o trabalho – juntar dinheiro, ajudar a família, pagar suas próprias contas, se sentir realizada, fazer algo que faça a diferença no mundo, descobrir novas tecnologias, ajudar pessoas, curar doenças –, é preciso que você esteja em um lugar que faça sentido. Um lugar cujos valores se encaixem com os seus. Não há prisão maior do que passar a maior parte do tempo em um lugar onde nem você sabe a razão pela qual está ali. Imagira passar quase dez horas do seu dia em um lugar que você odeia, fazendo um trabalho que parece sem sentido, que não tem nada a ver com você? PE-SA-DE-LO. E digo isso por experiência própria.

Mas é importante lembrar que, por mais que você esteja no emprego dos seus sonhos, ele nem sempre será às mil maravilhas. Trabalho dá trabalho, é nele que testamos a nossa capacidade, a nossa paciência, a nossa resiliência, o nosso potencial...

Às vezes, pelos mais variados motivos, não trabalhamos no que amamos, mas mesmo assim não podemos enxergar o nosso emprego como um caixa eletrônico, de onde a gente só espera dinheiro. Pelo menos, não por muito tempo. Você não é obrigada a amar tudo o que faz na vida, mas seu trabalho não deve ser somente um meio para pagar suas contas, ele deve ser um lugar que preencha o seu caminho com experiências, aprendizados, amadurecimento e transformações. Acho que a partir do momento em que você para de aprender, pode mudar de trabalho. É preciso desafios, novas experiências; é isso que nos ajuda a ficar motivados, e é isso que dá sentido a ele. Lembram da história de viver sem movimento, no piloto automático da vida? Então, trabalhar no automático traz uma conta – bem cara por sinal – em algum momento da vida.

CAP. 6

CAP. 7

CONCLUSÃO

O QUE É SUCESSO PARA VOCÊ?

É comum relacionarmos sucesso a dinheiro; quando se trabalha com redes sociais, ao número de seguidores; no mercado financeiro, ao bônus anual; na medicina, à cura. Mas se pensarmos um pouco mais profundamente, o sucesso não tem a ver com dinheiro, até porque o dinheiro é uma troca, é aquilo que ganhamos por fazer certa coisa. A felicidade está ligada ao processo, e não ao fim. Lembra que falamos disso? O arco-íris não é o pote de ouro, ele é o caminho, a história de cada um de nós, e isso é mais valioso do que o saldo azul no banco. Quer um exemplo? Por que a pessoa que já ficou rica no trabalho não para de trabalhar? Porque existe algo sedutor em concretizar uma ideia, liderar uma equipe ou até em criar algo que faça diferença no mundo. Se ficarmos focadas no tal do salário, perderemos de vista o que nos move.

Conheço médicos excelentes que são apaixonados por fazer plantão, aquela correria real do dia a dia os inspira, é ali que eles vivem a medicina, e aquilo faz a vida deles ter sentido. Poderiam ganhar mais dinheiro abrindo uma baita clínica? Claro que sim! Mas será que isso seria o suficiente? Eles seriam profissionais realizados?

Eu, por exemplo, trabalhei, durante alguns bons anos, em lugares que não diziam muita coisa sobre a minha vida profissional, mas sempre tive a sensação de que aquele sentimento fazia parte dessa busca por algo que eu gostasse de fazer. Demorei anos para entender o meu papel e cheguei a duvidar da minha capacidade de trabalhar, já que eu vivia com uma sensação de incompletude. Comecei três faculdades diferentes porque realmente não tinha clareza do que queria fazer. No mundo atual, tudo é para ontem, e você precisa saber logo cedo, muito cedo, aliás, a profissão que seguirá para o resto da vida. Dá uma agonia trocar de curso na faculdade. Imagina fazer isso duas vezes. Todo mundo está seguindo seu caminho, e você está como? Cheia de dúvidas.

Por outro lado, a resposta sempre esteve diante do meu nariz (olha ele aí de novo!), eu é que não estava conectada com a minha essência para captar a mensagem. Era comunicativa, gostava muito de criar, mas não via isso como uma profissão. Por que mesmo? Oras. achava que não ganharia dinheiro com isso, que para conseguir me manter precisava ser advogada, engenheira ou algo do tipo (além de que essas são profissões de prestígio, as pessoas enchem a boca para falar). Mais uma vez, passei longe de quem eu era e esqueci que não seria feliz fazendo qualquer uma dessas coisas. De que adianta ser advogada com uma agenda cheia e um saldo bancário com muitos dígitos se você sonha acordada em estar em outro lugar, trabalhando com outra coisa?

O problema é que há uma pressão enorme do mundo, precisamos ser o próximo Bill Gates, Steve Jobs, Jennifer Aniston. O nível de sucesso do mundo é medido pelo dinheiro. O que acontece? Você é jovem, está sem saber que caminho seguir e acaba convencida de que ganhar dinheiro é o seu objetivo. Mas quantas pessoas ganham dinheiro e são infelizes? Muitas. Não estou aqui fazendo apologia a não ganhar dinheiro, a fazer voto de pobreza. Mas precisamos entender que somente dinheiro nunca fez alguém realmente satisfeito com a vida. O dinheiro acompanhado de propósito e missão, isso sim, faz todo o sentido.

A fama é outro fator de enganação total. As pessoas acham que estar na mídia, ser conhecido, é estar com a vida ganha. Mas não é bem assim. Conheço alguns famosos e posso dizer que isso não preenche o copo. Sempre é preciso mais. Você pode viver o glamour do reconhecimento público, claro, mas isso não deve ser o seu propósito, entende? Alguém que escolhe a vida pública porque deseja a fama é uma pessoa que coloca um propósito muito raso como objetivo. E vamos combinar? Nosso tempo aqui é curto demais para querer coisas que são superficiais e que não vão deixar nenhuma transformação relevante na sua vida.

Escolha algo que você sinta que é parte da sua história, e o reconhecimento virá, da maneira que você deseja. Fato.

ENCONTRANDO O PROPÓSITO

Por anos achei que trabalhar com moda era o que eu queria fazer, tinha acesso aos desfiles mais badalados, às pessoas, às marcas, mas nada fazia sentido para mim. Não posso negar que me senti mal-agradecida várias vezes – essa culpa que o ser humano ama inventar; por que não trocamos a culpa por uma boa inquietude? Essa, pelo menos, mostra que estamos vivos e atentos a nossas necessidades e vontades.

Como eu acredito em resolver os problemas e no esforço para encontrar o que nos faz bem, larguei tudo e fui atrás de um sonho. (Não precisa colocar a música da Xuxa em *Lua de cristal*, tá?) Mas posso dizer que, para sentir satisfação, precisei correr riscos, trocar o "certo" pelo duvidoso – que nada mais era do que trocar o errado pelo certo, mas, naquele momento, como saber? – e trabalhar muito para chegar "lá". Eu nunca penso que cheguei ao topo da minha montanha, até porque estou sempre transformando meus sonhos. Por isso, vivo em busca de propósitos e nunca me dou por satisfeita. Mas isso não quer dizer que não aprecio meus bons momentos e que não sou muito (mesmo) agradecida pelo meu trabalho e pelo caminho que construo todos os dias.

Veja, eu trabalhava numa empresa, ganhava salário, décimo terceiro, tinha plano de saúde e tudo o mais. Escolhi ser profissional autônoma e me aventurar numa profissão lotada de egos. O mais legal de tudo isso é que quando se escolhe o que se gosta ou aquilo que faz sentido na sua vida, você passa a ver as dificuldades como desafios, mesmo tomando uns belos tombos. E a gente precisa internalizar que os tombos não definem quem somos, eles são apenas uma parte (importante) da nossa história.

Me lembro de, ao chegar em casa depois de pedir demissão, não fazer ideia de como eu iria começar a produzir conteúdo digital e fazer vídeos para a internet. Gente, há dez anos, esse mundo on-line era um embrião, não se ganhava dinheiro fazendo isso. Era apenas eu e começaria a minha jornada num campo ainda pouco desenvolvido. O famoso eu comigo mesma.

Já fui motivo de chacota por não conseguir dizer o que fazia da vida – essa pergunta sempre me irrita, rs –, eu não tinha título nem cartão de visita indicando algum cargo numa empresa. Meu trabalho dependia apenas de mim mesma, das minhas vivências. Difícil explicar isso anos atrás.

Fui sortuda, sim, tive pais que apoiaram e torceram para que eu encontrasse a satisfação na minha vida profissional. Mas quem disse que eu sabia como transformar todos aqueles sonhos em trabalho? Comecei do zero, errando bastante, tendo alguns acertos e sentindo, dentro de mim, que aquilo era a minha vida. É engraçado como eu me sentia calma mesmo diante dos medos, anseios, dúvidas e inseguranças que uma vida autônoma nos dá. Era como se a conexão com a minha essência fosse tão forte que eu sentia que era aquilo, embora eu nem soubesse direito o que "aquilo" era.

Aos poucos, fui explorando o que era trabalhar com internet, produzia meus próprios vídeos, escrevia os roteiros e conseguia colocar um lado da minha criatividade, não usada no outro trabalho, para fora. Era libertador.

Lembro que logo cedo criei quadros para o meu canal de vídeo, eu fazia um em que cozinhava com pessoas famosas; outro em que entrava no closet da pessoa e escolhíamos peças de roupas que seriam destinadas a uma instituição de caridade; fazia também um quadro em que eu saía pela avenida Paulista, em São Paulo, entrevistando pessoas sobre alguns temas de comportamento. Hoje olho para trás e tenho orgulho daquela coragem toda; eu não me julgava, só seguia em frente. Desses vídeos, eu fui para a TV, aprendi um monte, mas também levei altos tombos. Da TV, voltei para a internet. Hoje trabalho com tudo: TV, internet, livro, e cada vez mais entendo que um trabalho sem títulos é aquilo que me faz feliz.

Estou no meu terceiro livro, mas não estou dizendo isso para contar vantagem ou ficar me vangloriando. E sim para dizer que quando se entra em contato com a própria essência, com o autoconhecimento, e temos uma segurança maior do que somos, conseguimos voar para lugares que nunca nem havíamos planejado.

Posso dizer que fui conhecendo um lado meu no trabalho que jamais imaginaria; não seria tão ousada nas minhas apostas se não tivesse tido aquela coragem de largar o décimo terceiro, os desfiles de moda etc. Isso não quer dizer que todo mundo deve largar tudo e sair por aí descobrindo quem é; não quero escrever bonito e me esquecer da realidade. Mas parece que quando nos conectamos com a nossa alma já sabemos o que queremos e para onde vamos. Tudo flui naturalmente, sem tanto esforço ou dificuldade, mas é preciso ter coragem de mudar. Muita coragem.

Quando alguém diz que está perdido em relação à profissão, está na verdade perdido em relação à sua essência. É importante encontrá-la antes de sair por aí decidindo para onde vai. É preciso calma; o seu propósito não será encontrado na correria, na pressão. Pondere

Use este espaço para analisar a sua vida profissional. Como sempre, seja sincera (ninguém mais vai ler!).

- ♥ Você gosta do que faz?

_____

- ♥ Trabalharia com outra coisa?

_____

- ♥ Tem medo de arriscar? Por quê?

_____

_____

- ♥ Qual o seu maior sonho, aquilo conecta você à sua essência?

_____

_____

- ♥ O que você pode adicionar ao seu dia para te deixar mais próxima daquilo que você ama?

_____

_____

- ♥ Escreva cinco coisas que você adoraria fazer de novo na vida.

_____

_____

- ♥ Tente escrever que atitudes poderiam te deixar mais próxima delas?

_____

tudo; temos que abrir mão de certas coisas para termos outras, essa é a vida. Pesquise sobre as pessoas que você admira; ninguém teve uma vida fácil, apenas recheada de sucessos. As pessoas enfrentam dificuldades, muitas, inclusive, mas o importante é ter aquele GPS ativado dentro de nós. Pesquise para onde você quer ir, mesmo que mude tudo no meio do caminho, não importa. Busque pelo seu propósito, aquele objetivo que faz sentido dentro de você. Confie na sua intuição sempre. O trabalho é sagrado, ele é grande parte do que somos, não devemos automatizá-lo.

MEDO DE ERRAR

Uma das coisas que mais tememos no trabalho é errar. Quem nunca se perguntou "o que vai acontecer comigo se eu errar no trabalho? Vou perder o emprego? Como serão as coisas caso eu realmente seja demitida?"?

Cometer erros pode ativar um falso espelho interno. A cobrança hoje em dia é tanta que quase não nos é permitido ser espontâneas, arriscar, tentar. Se fizemos algo que não deu certo, que não foi tão bom para nós ou para a empresa em que trabalhamos, já ficamos com aquele sentimento de que não somos boas o suficiente, que a culpa – olha ela aí de novo! – é toda nossa. E, muitas vezes, de que não fazemos nada direito. Algumas pessoas chegam a se sentir uma fraude! Temos a tendência de lembrar apenas os erros e esquecer todos os acertos que tivemos durante a vida – que, tenho certeza, foram maiores e mais impactantes ainda.

Mas de onde vem esse sentimento de ter falhado? De não ser bom o suficiente?

Muitos pais minimizam os erros cometidos pelos filhos durante a infância e a adolescência. Eles acham que estão ajudando, mas acabam fazendo um desfavor a eles. Errar ajuda a desenvolver o senso crítico, algo muito necessário quando se é adulto e se convive com outras pessoas em diferentes situações. Nunca ter errado nos deixa rendidos quando estamos diante de uma falha. Até então, nos víamos como seres que não erram (ILUSÃO!), e estar diante de um erro nos deixa com um sentimento de inferioridade.

Você se lembra daquela prova de matemática que pedia para mostrarmos o raciocínio lógico, e não só o resultado? Além de dificultar a pessoa de colar do outro, era uma maneira de nos fazer entender como pensar logicamente. Isso serve para a vida em geral. Ter a consciência das nossas escolhas, e das consequências delas, sejam positivas ou negativas, é o nosso maior presente. E errar traz isso, essa noção de consciência.

Eu não gosto de categorizar minhas ações em erros ou acertos; costumo colocá-las na prateleira de escolhas, mesmo porque uma escolha não tão boa para você pode te levar a um êxito ao qual o tal do "acerto" talvez não levasse. Já pensou nisso?

> **PESSOAS QUE DESENVOLVEM A AUTOCRÍTICA SÃO BEM RESOLVIDAS E TÊM UMA CAPACIDADE MAIOR DE ENFRENTAR AS DIFICULDADES E LIDAR COM OS ERROS.**

Se você parar para pensar em qualquer situação difícil por que passou, é impossível não encontrar algo positivo que essa situação tenha te trazido. Meu objetivo não é incentivar um pensamento que camufle uma falha, mas que isso seja transformado em evolução, aprendizado e consciência.

Dizem que é na dor, na dificuldade, que o ser humano consegue se reinventar, é no meio da escuridão que conseguimos ver a luz mais nitidamente, então por que nos culpamos tanto? Ter responsabilidade com nossas ações, palavras e escolhas é sinal de maturidade; a culpa talvez só nos proteja da responsabilidade de assumir nossas escolhas e retarde nosso crescimento interno.

Como um erro pode ajudar a nossa evolução?

Foi por meio dos erros que evoluímos e chegamos até aqui como seres viventes. São os erros que convocam novas formas de fazer, sentir e olhar. Impossível crescer sem eles. Infelizmente a educação familiar e na escola valoriza e tira pouco proveito do erro, que, quase sempre, é condenado, problematizado e criminalizado. Poucas vezes se consegue tirar dele os aspectos positivos, porque a isso é atribuída uma ideia de leniência e condescendência com o erro. No entanto, não se trata disso. Erros e acertos são o tecido da vida porque, querendo ou não, vamos responder pelos seus desdobramentos. Assumir a responsabilidade sobre nossos erros é uma forma de extrair deles tudo o que tiverem de positividade. Isso depende de como decidimos lidar com eles; assim como também é nossa responsabilidade assumir que precisamos lidar e aprender mesmo com os erros que são nossos. Alguns dizem aprender para não errar mais, não é? Eu diria que aprender com os erros é aprender a errar, errar outros erros e aperfeiçoar os acertos.

Quando o erro não é um monstro do qual se tem tanto medo pelo julgamento e punição, conseguimos avançar e criar novas formas de fazer diferente.

Por que nossa autoestima é tão abalada quando erramos?

Ninguém gosta de errar. Dependendo do erro, é esperado que abale um pouco a forma como nos vemos, faz parte. A questão é quando um erro é tomado pelo todo. Ou seja, a partir de um erro, me vejo fracassado e condenado. Nesse nível, podemos dizer que a autoestima não está bem constituída. Se estivesse, toleraria melhor o erro e não ficaria à mercê dele. Uma das forças da autoestima é tolerar a vulnerabilidade ao erro que nós, humanos, cometemos. Boa autoestima é construída com base em sucessos e fracassos, na flutuação entre o que conseguimos, não conseguimos, acertamos e erramos.

A INSEGURANÇA QUE RONDA AS MULHERES

Por que nós, mulheres, somos tão inseguras? Alguém sabe dizer? Somos inseguras com a nossa aparência, com os nossos relacionamentos e também com a nossa profissão. É muita coisa, não acham?

Sabemos que muito dessa insegurança no trabalho é uma herança do tempo em que as mulheres estavam entrando no mercado de trabalho e tinham que mostrar que eram tão capazes quanto os homens e precisavam se esforçar mais do que eles para provar isso; infelizmente ainda temos muito caminho pela frente. Ela está presente no nosso dia a dia e muitas de nós acabamos estagnadas na carreira por falta de confiança, de espaço (e não de competência!).

Quantas vezes você deixou de expor suas ideias numa reunião, com medo do que os outros iam falar? Mesmo tendo certeza de que estava certa, um simples olhar estranho de outra pessoa presente na reunião já fez com que você questionasse se aquilo que estava falando não era besteira? Quantas vezes viu pessoas que nem eram tão talentosas quanto você, mas cuja segurança era fator número um para que ganhassem uma promoção no seu lugar?

Conquistar a autoconfiança é essencial, e o amor-próprio é uma parte importante para esse processo acontecer. A falta de confiança nada mais é do que desamor! É acreditar que não podemos, que não chegaremos e que aquilo não é para ser nosso. Não podemos ter a sensação de que estamos em um lugar em que não merecemos estar; temos que "confiar no nosso taco", aprender a valorizar aquilo que temos de bom e aceitar que temos outros pontos a serem desenvolvidos, mas isso até a pessoa mais bem-sucedida no mundo tem. E se você tem certeza de que está no lugar errado, o que está esperando para procurar o lugar certo?

Para conquistar a autoconfiança é preciso se arriscar mais. Sem riscos, não progredimos. Lembre-se sempre: nesse processo de evolução, você vai cometer erros, mas eles são importantes e sempre muito transformadores. Quem não arrisca não petisca, quem não erra não tenta, e por aí vamos.

Ter autoconfiança não é se achar a última bolacha (biscoito) do pacote. Você pode ser confiante, segura de si, sem ser arrogante. Mas é essa força interna de se movimentar que faz a gente aprimorar nossos dons todos os dias. O sucesso está ligado a tentativa, erro e transformação. Errar, e ter a consciência daquilo, pode trazer frutos muito mais ricos do que um acerto direto.

DICA DA PSICÓLOGA

É possível desenvolver a confiança?

Sim, na mesma linha da autoestima. Uma anda ao lado da outra. Claro, às vezes temos uma boa autoestima, mas não estamos tão confiantes em determinada área. Essa situação não fala contra uma boa autoestima. Nem sempre conseguimos dar conta de tantas coisas, não sabemos de tudo e temos desafios, por vezes, complexos e que demandam tempo na construção da autoconfiança. É a boa autoestima que produz o crédito para sustentar o período das "vacas magras" da autoconfiança

Vale dizer que autoestima e autoconfiança não se constroem sozinhas. São edificadas nas relações de confiança, nas oportunidades que temos na vida de sermos vistas e de legitimar nosso valor. Ninguém consegue acreditar em si se já não se sentiu creditado e acreditado por outra pessoa.

Vivemos numa sociedade que prega que você pode se amar, confiar em si mesma independentemente dos outros, mas não é verdade. Precisamos, desde criancinhas, de bons e tolerantes olhares para aquilo que somos, por isso a família é o primeiro lugar para essa construção. Se ela não existe, pode ser qualquer grupo ou pessoa que nos queira e acredite que temos algum valor. Esse é o primeiro passo dessa construção que será por toda a vida.

CAPÍTULO 7

Amor-próprio na era da internet

"Qualquer pessoa pode ter uma voz na internet. Inspire as pessoas a encontrarem o seu melhor. Todos nós temos uma estrela especial, não precisamos ser iguais a ninguém."

Há um tempo entramos na era dos likes, dos views e dos chamados seguidores. As redes sociais chegaram demandando produção de conteúdo e permitindo que exercitemos sem culpa o narcisismo, diga-se de passagem.

Nos tornamos inspiração para alguns, nos inspiramos em outros e assim caminhamos dia após dia. Um novo ramo de celebridades nasceu, outro mercado de trabalho e uma visão mais próxima da publicidade. Os canais de TV tiveram que mudar a sua estratégia, os canais on demand chegaram com tudo, o YouTube é a maior plataforma agregadora de vídeos. Assim, todo mundo pode deixar o anonimato; é só se aventurar no mundo digital e tentar a sorte.

Eu costumo ser positiva quanto ao impacto das redes sociais no mercado da publicidade; os consumidores reais, finalmente, foram valorizados, e aos poucos vamos nos distanciando daquelas propagandas de TV pouco atraentes. O público jovem pôde explorar seu talento para produzir conteúdo, e a informação está cada dia mais rápida. Graças ao mundo digital, eu consegui me encontrar profissionalmente. Talvez não tivesse a menor chance na TV se não mostrasse antes na internet o que gostava de fazer.

Acho a proximidade que criamos com os seguidores incrível: troco ideias, mensagens, histórias e sinto que essas pessoas só me fazem crescer pessoal e profissionalmente. Talvez eu nunca estivesse aqui escrevendo um livro se não fosse pela internet.

Não sei se teria provado tão cedo da minha independência financeira e se teria conquistado espaço para começar o meu caminho. Televisões e revistas são meios muito legais, mas poucas pessoas são escolhidas para estarem ali. São ainda mais frustrantes as razões pelas quais certas pessoas estão nesses meios, pois muitas vezes não têm a ver com o talento. Claro, entendemos que o mercado de trabalho opera dessa maneira desde que foi formado, mas sempre penso na quantidade de pessoas talentosas desempregadas, nas pessoas que não têm bons contatos e que, por isso, não aparecem ali e em quantas vezes alguém muito bom tentou algo e não conseguiu pela falta de networking. Olha só o que a internet fez. Nomes desconhecidos, de várias cidades do Brasil, começaram a bombar. Talentos que jamais seriam descobertos deram as caras no YouTube, no Instagram, no Twitter, e por aí vai. Não podemos negar que esse lado das redes sociais é fascinante. Tudo o que você precisa é ser você mesma e abrir uma conta em alguma rede que seja mais a sua cara e pronto! A sorte está lançada.

Por muito tempo fui incompreendida pelo mercado de trabalho sobre a minha profissão. A internet era muito recente quando os blogs surgiram. As marcas ainda ficavam em dúvida de como aquilo poderia ser um trabalho de fato, e, confesso, eu também! Tinha gente que torcia o nariz, que falava mal, mas tudo isso pelo medo do novo, da mudança. Lembra o que falamos? Sem movimento, não andamos para a frente. As pessoas estavam com receio de perderem seus postos – e é fato que muitas perderam – e dessa nova febre que eram as novas vozes, as caras jamais vistas, zero globais, mas que arrebanhavam muitos likes, compartilhamentos e seguidores.

Eu me sinto sortuda de ter participado desse novo movimento e de ter tido coragem de dedicar a minha vida ao mundo digital, sem sequer saber o que aquilo poderia virar. Alguma coisa me dizia que era bom demais poder mostrar a nossa verdadeira essência, e fazer o próprio conteúdo sempre foi meu sonho. Nunca me interessei por roteiros engessados, por mudar meu jeito, como aquelas pessoas que mudam o sotaque na hora de falar alguma coisa, e por aquelas feições robóticas dos tempos antigos.

Como tudo tem seu lado negativo, a internet também fez com que a informação viajasse muito mais rápido, a boa informação e a ruim também. Por causa das selfies, filtros, caras e bocas, fomos ficando viciadas em expor os atributos físicos, o look, o cabelo e esquecendo o resto. Quando estamos no mundo digital, não nos damos conta de quantas pessoas estão ali te assistindo e ouvindo atentamente o que você fala. Uma informação errada, um conteúdo irresponsável podem acabar com a reputação e a credibilidade da pessoa.

E o que tudo isso tem a ver com o amor-próprio? Bom, a internet virou um campo infinito de informação, pessoas, estilos, ideias, e isso também tem seu lado ruim. Com tanta exposição, tantas fotos, tantos vídeos, a vaidade cresceu. O espírito narcisista e competitivo das pessoas, também. Quem tem mais seguidores? Cadê meus likes? Será que ninguém gosta de mim? Será que sou tudo isso que dizem a meu respeito? Um mar de questionamentos invadiu a cabeça das pessoas. Dos famosos, dos anônimos e de todo mundo que um dia provou daquele gostinho de ter sua imagem elogiada.

Com isso, um maior número de pessoas aparecia on-line e, consequentemente, a ligação de todo mundo aumentou. Você poderia se aproximar digitalmente de alguém com quem jamais esbarraria nas ruas. Relacionamentos começaram on-line para depois virarem off-line, e a insegurança começou a tomar conta de boa parte das pessoas.

Fulana posa de biquíni, a outra sabe tirar a selfie perfeita, o efeito Kim Kardashian, Kylie Jenner etc. veio como um furacão, e aquele egocentrismo adormecido em todos despertou.

Recebo muitas dúvidas sobre as regras das redes sociais nos relacionamentos amorosos, conheço muitos casos dramáticos de pessoas que se sentem inseguras todos os dias por conta das fotos de tais pessoas. O Photoshop dá a ilusão de perfeição, os sorrisos mais brancos do que vestidos de noiva estão sempre dando seu alô, e a vida de faz de conta também. Se não tivermos uma consciência de que vemos uma vida retratada numa foto, em um vídeo editado de alguns minutos, passamos a achar que essas pessoas são melhores do que nós, mais felizes, mais bonitas e mais sortudas. O que muita gente confunde é a imagem com a realidade. Eu não julgo, há pessoas que fazem questão de expor uma vida perfeita para os outros.

Para mim, o segredo de não cair nessa paranoia de comparação com a vida alheia é entender que é impossível ter uma vida somente de momentos lindos de viagens perfeitas e selfies impecáveis. Não acredite em tudo o que vê. O excesso de perfeição esconde uma baita de uma falta; não é interessante nem saudável querer ser perfeita – é chato e repetitivo. Posso me inspirar em uma viagem incrível que vi na timeline de alguém, em um look de que gostei, mas não penso nessas pessoas como sendo perfeitas. Para mim, isso não existe. Não podemos resumir a nossa vida a fotos e paisagens maravilhosas, é bom ser real, até porque essa é a nossa vida. É chato ser feita de Photoshop e ter uma vida sem nenhum sofrimentozinho. Cadê o crescimento? A evolução? É pouco resumir a vida em um aplicativo, seria pequeno da nossa parte pensar que a vida de alguém é inteiramente digital. E olha que adoro a internet, trabalho com isso, mas não resumo a minha vida a ela. Precisamos separar os momentos e entender que muita gente não mostra a real, aliás, morre de medo de mostrar alguma fraqueza, dificuldade, então prefere ilustrar o faz de conta com fotos e poses matadoras.

Quantas vezes você não viu uma declaração linda de amor e, na semana seguinte, a separação do mesmo casal? Às vezes escrevemos ou postamos coisas desejando acreditar naquilo que a imagem quer dizer, mesmo sabendo que a realidade é outra. Transferimos para os pixels a necessidade de expor a felicidade. Mas de que adianta? Se postar foto e ganhar likes fosse trazer felicidade, a receita seria fácil.

A rede social deve ser usada com consciência, é uma ferramenta que pode ser incrível, inspiradora, mas nunca depreciativa. É incrível estar conectada a tantas pessoas diferentes e poder interagir a todo momento com elas, mas isso precisa ser algo bom, saudável e que impacte o seu dia positivamente.

Os relacionamentos amorosos são, muitas vezes, testados no mundo digital. Não existem regras do que pode ou não, mas as máscaras são facilmente arrancadas por um like errado que o outro deu.

O que eu sempre digo sobre esse assunto é: se você se sente machucada, ferida ou desrespeitada pela pessoa com quem está se relacionando, algo está errado. Existem pessoas que não veem nada de mais em um like no Instagram alheio, outras ficam furiosas e extremamente feridas. Minha opinião sobre isso? Um like ou um comentário podem expor a pessoa com quem você está. Por que fazer isso? Hoje todo mundo vê quem comenta, quem curte e quem segue. Talvez não seja necessário esse tipo de exposição; existe a pessoa com quem você está, os sentimentos dela, e essa linha não deve ser ultrapassada. Fuçamos as páginas alheias, temos curiosidades, e não há problema nisso. Mas não exponha a pessoa com quem você está; pense no outro, no respeito e naquilo que você pode causar clicando na tela. Não concordo com a ideia de que é difícil ter um relacionamento hoje por causa das redes sociais, porque as máscaras caem mais facilmente e as atitudes são mais vigiadas. E quando uma pessoa não tem cuidado nenhum com o outro, os indícios disso podem ser denunciados com um simples comentário ou clique. Temos os amigos que veem e contam, os prints e tudo aquilo que já conhecemos.

Se quiser ter paz em qualquer relacionamento, é preciso respeito mútuo. Se fere, machuca, causa insegurança, não serve. Estamos nessa vida para evoluir, precisamos nos conectar com quem vale esse investimento de energia. Não culpe o Instagram pelos problemas do seu relacionamento, quem está por trás dele manuseando todos aqueles botões é a pessoa com quem você está. Fim de papo.

No trabalho, o cuidado precisa ser máximo também. Não podemos esquecer que a nossa vida pessoal nem sempre se mistura com a profissional. Há muitos casos de demissão por atitudes indesejadas de funcionários e é importante ter maturidade e responsabilidade na hora de postar e expor a sua vida.

Palavras mágicas nas redes sociais: RESPONSABILIDADE E MATURIDADE.

Os padrões impostos na era digital são cruéis. Todos precisam ser lindos, magros, sexy e felizes. Perigoso isso, não? Temos que tomar cuidado com as palavras, com as imposições de padrões. É preciso entender que essa ferramenta precisa ser usada a seu favor, ela não pode servir para te deprimir ou causar uma sensação de inferioridade. Se inspirar é ótimo, mas ser você mesma é melhor ainda.

Trabalhe a sua melhor versão, aprecie o belo, as paisagens, mas não resuma a vida de ninguém a isso; você estaria criando uma fantasia maior do que essas pessoas criam.

Não esqueça que não importa o número de seguidores, todos nós servimos de inspiração para alguém. Portanto, tenha responsabilidade, pense que há pessoas te ouvindo, te vendo. Quanto mais nos ajudarmos, melhor.

Quanto mais informação passarmos, mais conteúdo de qualidade, melhor a nossa rede fica. Enriqueça seu mundo digital e use essa ferramenta com consciência. Estamos todas ligadas, e todas nós temos o poder de transformar algo.

Muitas de minhas seguidoras costumam dividir comigo as suas histórias e tomei a liberdade de reproduzir algumas aqui, mas preservando a identidade delas, porque acredito que elas podem ajudar muitas outras leitoras que vivem situações parecidas.

"Meu namorado sempre curtia as fotos de outras mulheres, ele também seguia a ex-namorada, e, às vezes, eles trocavam elogios. Aquilo me deixava péssima e eu acabava brigando com ele quase todos os dias. Quanto mais eu falava, mais ele fazia, e eu comecei a perceber com o tempo que a culpa não era da ex, da foto dela, e sim dele. Se ele não respeitava meus sentimentos no Instagram, não seria diferente fora dele. Compreendi que o jeito como ele encarava um relacionamento era diferente do meu. Terminei e me senti livre de muitos problemas."

"Eu e minha namorada precisamos ajustar os ponteiros quando começamos a namorar. Eu seguia pessoas, dava like, e ela também. Combinamos que se aquilo gerasse um constrangimento ou chateação, respeitaríamos o outro. Até hoje essa relação é bem tranquila e nós encaramos as redes sociais como uma revista que podemos folhear, olhar e curtir sem outras intenções."

"Tenho cuidado com a minha conta no Instagram. Não adiciono gente do trabalho porque acho que mostrar a minha vida é algo muito privado. Prefiro ser discreta."

> "Eu costumava seguir todas as mulheres mais lindas, com aqueles corpos perfeitos. Com o tempo, me dei conta de que aquilo só me deprimia. Eu não tinha aquela vida e nem teria aquela disciplina toda para ter a tal da barriga chapada. Custei a parar de seguir, mas quando fiz isso me senti muito me.hor. Às vezes a gente insiste em seguir alguém que não traz nada de positivo, só pelo fato de ficar comparando a vida da pessoa com a nossa."

COMO SE AMAR NO MEIO DE TANTO HATER POR AÍ?

Hate significa "ódio", logo, não estamos falando sobre críticas construtivas ou pessoas que te cão bons conselhos para você ser alguém melhor.

Como manter o amor-próprio com essa chuva de julgamentos destrutivos?

Se AME. Sabe quantas pessoas existem no mundo? Não me diga que a sua missão na vida é agradar a todos, isso vai minar decisões importantes da vida e trazer uma infelicidade constante. Quando os outros falam de nós, eles traduzem muito mais o que há dentro de si do que de nós propriamente.

Penso da seguinte maneira: a minha consciência é a coisa mais importante dentro de mim. Portanto, faremos o melhor que pudermos, mas sem querer fazer para agradar. Corra atrás das coisas que almeja, busque profundidade no seu autoconhecimento e não se culpe caso consiga coisas incríveis na vida. Entenda que, provavelmente, a sua liberdade pode incomodar o vizinho; você ser bem resolvido pode irritar o amigo e isso causar um mal-estar. Paciência. Se alguém se incomoda com o que você é, não há nada a fazer, a não ser que o que você está fazendo seja ilegal ou imoral. Mas ser quem somos vem com uma tag de preço; não é barato, mas o melhor investimento que você pode fazer é pagar por ele. Não deixe ninguém ser dono do que é seu. Ser você é seu maior bem, aliás, é o único.

Os haters estão por aí, e, posso falar? Estarão sempre. O que você vai fazer? Se desesperar e querer reverter um problema que nem é seu?

Entenda que quando alguém resolve gostar da gente, não importa o que aconteça, essa pessoa vai enxergar o que há de bom em nós. Entenda que o contrário também é verdadeiro. Quando alguém resolve não gostar de você, essa pessoa não vai enxergar nada de positivo, não adianta. O problema que o outro tem com a gente só aumenta o problema interno que vive nele, o outro. E não ache que você tem o poder de mudar isso.

Tenha carinho por você, se trate bem. Sabe aquele upgrade que damos vez ou outra no celular? Então, a vida é feita de upgrades, mais conhecidos neste livro como autoconhecimento. Quanto mais tranquilas e seguras estamos, menor é a voz do outro e menos problemas de fora trazemos para dentro. A multidão está fora, e não dentro de nós.

Ame o que você é, mesmo não gostando de tudo sobre você, e assim atrairá pessoas que enxergam o que você emana. Talvez os haters machuquem demais você, até porque eles podem ser pessoas em quem você achava que podia confiar, que gostavam de você de verdade. Infelizmente, as pessoas mais próximas podem ser os maiores haters da nossa vida. Elas podem ser da família, do trabalho, amigos. Como se proteger disso? Entendendo que a nossa luz tem força e que algumas pessoas não entendem isso porque ainda estão à procura da própria luz. Mas quem deve encontrar essa luz são elas, e não você. Seja leal, fiel aos seus valores e fique tranquila. A vida é uma constante transformação e pode ser que um hater vire um amigo um dia. Quem sabe...

Cabe a você ser o melhor que consegue sem ferir seus sentimentos, seus valores e suas expectativas. Mais fácil escrever do que fazer, eu sei. Mas não custa lembrar que o problema do outro só vira seu se você permitir.

+ segurança = – necessidade de agradar a todos

+ leveza = – importância para a agressividade alheia

+ você = – julgamentos alheios

TUM
TUM

Dicas para não perder seu amor-próprio de vista

Autoconfiança. Lembre-se dessa palavra todos os dias da sua vida.

Se eu pudesse me dar um conselho, um único conselho que fosse mudar a minha vida no auge dos meus 15 anos, seria: CONFIE EM VOCÊ. Se eu pudesse eleger o melhor conselho para dizer a alguém, uma única frase que pudesse causar uma vontade de mudar internamente, seria: CONFIE EM VOCÊ. A nossa força interior tem um poder que nós só descobrimos quando começamos a usá-la.

Falamos sobre autoconfiança sem confiar em nós mesmas. Paramos para escutar quem não gosta da gente, damos bola para os comentários negativos e ainda podemos ser regidas por relacionamentos tóxicos.

Confundimos o amor-próprio com ser amado pelo próximo, anulamos nossos gostos para nos encaixar e pertencer a um grupo de pessoas tão inseguras quanto nós, deixamos as críticas abalarem nossas estruturas mais profundas e vivemos achando que o outro é melhor do que nós.

Antes de você dizer que não tem autoconfiança, que não nasceu com ela, que não sabe onde ela está, PARE.

Esvazie a sua mente, pelo menos por alguns minutos, para que você possa reprogramá-la. Se dê essa chance.

A autoconfiança é construída ao longo da vida, não é algo que nasce com você, é resultado de treino com muita persistência até que você atinja o ponto ideal. E temos que dizer que ela não é linear, precisamos cultivá-la sempre. As pessoas mais resilientes que conheço, as mais bem-sucedidas e, arrisco dizer, as mais felizes são providas de autoconfiança. Não é dom, talento, dinheiro, é a luz interior mesmo.

Ela te dá o poder de desviar o foco de pensamentos negativos e da constante voz interna que diz que não vamos conseguir, que não somos, que não merecemos. Ela enaltece a sua força e transforma o desespero em desafios. Ela (re)programa a nossa mente para sermos mais ousadas e corajosas.

Eu diria para a antiga Mica confiar, para ela não entrar em tantas frias da vida, para construir a sua autoestima com base no que ela é, e não com base no que as pessoas acham ou definiram em um dado momento. Eu diria para ela se acalmar, que tudo daria certo, que com calma nós achamos o caminho. E não é papo de mãe, rs! Limparia as lágrimas das desilusões e contaria que um relacionamento muito legal chegaria na sua vida, mas que ela teria que estar preparada para isso e algumas pedras no caminho seriam necessárias. Tá bom, não tantas pedras assim, rs!

Eu daria risada de algumas situações em que tudo foi levado muito a sério, afinal algumas dificuldades só ficam grandes mesmo quando damos importância demais a elas.

Diria que teria problemas, mas que todos eles a fortaleceriam de alguma maneira e também para ela parar de querer pessoas que, claramente, não gostavam dela. E eu não digo isso somente para relacionamentos afetivos. Me refiro a todos.

Se pudesse, ainda diria que encontraria a profissão certa quando fortalecesse seu interior e conseguisse transformar a dor em propósito.

E não esqueceria de dizer, mais uma vez: CONFIE EM VOCÊ.

Mas que graça teria se já soubéssemos o futuro? Qual o aprendizado que teríamos sem as dores, sem os pesos errados que damos para algumas situações e pessoas? Como chegaríamos à autoconfiança sem antes conhecer o que é não tê-la? Como aprender a barrar as vozes negativas sem antes tê-las escutado?

Você tem a força e toda a capacidade do mundo de produzir a sua felicidade, o seu amor-próprio e a sua história. Existem histórias mais leves, outras marcadas por situações dolorosas mais difíceis, mas há uma coisa em comum entre todas: nós temos a condição de transformar a dor em cura. A insegurança em força. O rancor em lição. A tristeza em aprendizado. E o desamor em amor.

Como fazer isso? Treine. Todos os dias, sem desistir. Treine a sua mente, os seus pensamentos e movimente-se. Saia do lugar que não te serve, saia da situação que te machuca e entenda que só você pode fazer isso.

Existem meios que podem ajudar, exercícios, livros, mas a mudança vem do nosso querer, e essa vontade vem do movimento.

Escreva uma carta para si mesma, como se você tivesse atingido vários objetivos que sonha na vida; escreva com entusiasmo, como se você já fosse aquela pessoa que gostaria de ser. Acredite em cada palavra escrita e não se sinta estranha por colocar num papel a voz de alguém que você ainda não está convencida de ser. Treine a sua mente, repita, escreva, pense, movimente-se. A autoconfiança não cai na nossa cabeça, ela acontece quando estamos abertos, dispostos e quando treinamos sem desistir.

Sabe quando algumas pessoas têm sucesso sem nem serem tão talentosas quanto outras? Porque há uma mágica na persistência, é ela que abre portas e faz a nossa força interior se dissipar pelo mundo.

Vá em frente, com medo, sem medo, não importa. Você tem tudo o que precisa para se amar. Você está viva neste plano, neste presente e vai fazer valer a pena essa passagem tão linda que é a vida.

Não desista; a felicidade já faz parte de nós, você só precisa aprender a usá-la da melhor maneira.

E quando alguém disser que você não vai conseguir, mostre que ninguém conhece mais as suas forças e sua capacidade do que você mesma.

Nós somos o que acreditamos ser. Não perca seu amor-próprio de vista, nem por um segundo. ☺

Ao meu marido, Renato Mimica, que sempre está presente nas minhas melhores e mais doces lembranças. Que encontro lindo de vida. Fique aqui, para sempre.

Aos meus pais, Newton e Blenda, que criaram três filhas sem princesismos. Pais que nos ensinaram que o melhor da vida é gostar de quem somos. Obrigada por sempre incentivar a caminhada de todos os dias, por mais longa que ela seja. Serei grata por toda a minha vida.

Às minhas irmãs, Carol e Gabi, obrigada por me encontrarem por esta vida, aprendo muito com vocês e morro de saudades.

Aos meus sobrinhos lindos, Jack, Martin e Noah.

Aos meus cunhados, Lee e Alex, *the gringos rock*!

À família Mimica, que está sempre presente com amor e carinho.

À Fran, perita em frases de efeito que levantam o astral.

Aos meus amigos queridos.

Aos meus amigos digitais, que são tantos, tão inspiradores e tão incríveis.

À minha dupla dinâmica, às mulheres talentosas e às fantásticas editoras Débora Guterman e Paula Carvalho, chegamos ao terceiro livro! Obrigada por acreditarem tantas vezes em mim. O processo de amadurecimento como autora foi lapidado por vocês.

Obrigada!!!